爬蟲與人生

柯玉雪

爬蟲與人生 / 柯玉雪著. -- 初版. -- 臺北市：
文史哲，民82
面； 公分
ISBN 957-547-797-9(平裝)

855

爬蟲與人生

著 者：柯 玉 雪
出版者：文 史 哲 出 版 社
登記證字號：行政院新聞局局版臺業字五三三七號
發行人：彭 正 雄
發行所：文 史 哲 出 版 社
印刷者：文 史 哲 出 版 社
台北市羅斯福路一段七十二巷四號
郵撥〇五一二八八一二彭正雄帳戶
電話：三 五 一 一 〇 二 八

實價新台幣二六〇元

中華民國八十二年七月初版

究必印翻・有所權版
ISBN 957-547-797-9

李序

柯玉雪，是個在農村中長大的女青年。她父母生了五個女兒，沒生一個兒子，她是屘子，幼時父母叫她「猪尾仔」，希望她長大後，能有所作爲，爲父母在親友面前爭一口氣。父親常對她們姊妹說：「輸人不輸陣。不要因爲是女的，就甘願被人看輕。」

十六歲那年，她就離開嘉義縣義竹鄉溪洲村的家，隻身在臺南半工半讀，吃了不少苦，但她堅信前救國團主任經國先生的啓示：「奮鬥的過程中，我們必將遭受很大的痛苦。」絲毫不以爲意。課餘之暇，聽廣播，從事文藝寫作。

轉瞬間，十二年歲月過去了，她刻苦自修，考入空中大學，研讀了七年，即將畢業。又逐年參加文建會、師大人文中心、中國青年寫作協會、中國廣播公司等單位，舉辦的各種長、短期文藝寫作研習班，學習如何寫劇本，寫散文及小說、現代詩。

她先後曾在張起鈞教授、蘇雪林教授、林益勝教授、楊昌年教授、沈謙教授、姜龍昭教授、戴愛華導播、陳美枝導播、林燿德先生等人的指導下，寫出了不少的評論、劇本、散文、小說與現代詩。

廣受電臺製作人、及各報刊雜誌編輯的欣賞，予以發表。

有一天，她在等公車時，看見一隻小小的爬蟲，在馬路上爬行，想從馬路這邊橫越到對面。只是來往車輛太多了，稍有一點閃失，就會被輾斃，她因之領悟到：

「我們每一個人的生命，正如那一隻越過馬路的小爬蟲般地脆弱，在經歷一連串奮鬥之時，稍一不愼，就隨時有身亡之險。」

從此，她把握住生命中的每一分鐘，努力學習，持續創作不輟不懈。這幾年來，她先後參加了各種徵文比賽，都有豐富的斬獲，誠屬不易。

八十一年，她出版了一本廣播劇選集《錦瑟恨史》，曾獲海峽對岸，四川大學教授王世德的讚賞。今年她又出版了一本專門評論廣播節目的學術性專著《廣播論叢》，獲得中國廣播公司董事長關中先生的肯定，並爲之寫序。

這一本《爬蟲與人生》包括她十多年來所寫散文、小說、詩的專集。我仔細閱讀之下，發現她所寫的作品，不管是老師的訓勉，童年的回憶，鄉土人物的刻劃……乃至生活中不如意事之反省、心靈上的當機妙悟。莫不眞情流露、活潑生動之餘，有其雋永而耐人尋味之處。

優良的文學作品，可以洗滌人心，淨化性靈，對成長中之青年、已就業之成人，甚或已退休的老人，均具啓發作用。所以，我樂於向愛好文藝的讀者朋友，推荐這本能展現生命活力的好書，更深深祝福作者，未來有更好的作品，呈現大家面前。

常言說：「風吹柳動，未見柳折。」不怕痛苦磨難，懂得堅忍執着，永續奮鬥的人，成功永遠伴隨在她左右。此話用在作者身上，覺得頗爲貼切。是爲序。

李鍾桂 民國八十二年六月廿日於救國團總團部

《爬蟲與人生》序

沈謙

王鼎鈞先生在《文學種籽》書中有一段名言：

「世上有兩個文字礦，一是老礦，一是新礦。老礦在書中，新礦在普通人的語言中。次等的藝術家都從老礦中掘取材料。惟有高等的藝術家，則會從新礦中去掘取材料。」

這話說得十分精采，但是更精采的是民國六十五年他任幼獅總編輯時對同仁說的另一段名言：

「寫作有兩種，一種是卵生，一種是胎生。前者如老母鷄下蛋，一天一個，毫不費力。後者却是經過長期的孕育，歷經懷孕的痛苦與喜悅，再加上產前的陣痛，好不容易才誕生。世界上所有高等動物都是胎生的。」

讀完柯玉雪的《爬蟲與人生》，一方面先睹爲快，一方面聯想起王鼎鈞的智慧雋語，不吐不快。柯玉雪目前所使用的文字確實是從新礦中去掘取材料，活水長存，她的寫作態度確實是胎生的，爲情而造文。她目前雖然不見得就是「高等的藝術家」，但正在朝此方向邁進。

《爬蟲與人生》是一本散文、小說、詩的合集。包括四十篇散文、五篇小說、五首詩，〈爬蟲與人生——悼念張起鈞教授〉是書中的第一篇，取第一篇的篇名作書名，當然是其來有自，書中許多篇章，最耐人尋味的就是當我們翻開此書第一頁的這個爬蟲的故事：

「無意間看到一隻爬蟲在路上爬行。它沒有翅膀，只能慢慢地爬，似乎想從馬路這邊橫過馬路對面，然而馬路上來往的車子，太多了。

「小爬蟲小心翼翼地深怕被車子壓死，却又勇敢地向前挪動步子。它的前面實在是危機重重，或許路的對面有著它想要的一切，仍是不顧一切向前爬行，它的感覺是非常靈敏的，而動作却嫌遲緩，祇要察覺有車子來了，就努力抽身退回原位讓車子先過。我在一旁看著，真替這個小爬蟲揑了一大把冷汗。

「好不容易這位『遠征者』已經爬過四分之三的路程，我暗自慶幸它即將獲得成功之喜悅。驟然，一輛巨輪大卡車氣勢兇兇地奔來，呼嘯而過，毫不知情地將小爬蟲輾斃，像隻標本般地貼在馬路上，再也不動了。也許那卡車司機，並沒有看到，他的車輛已經結束了一個生命。」

這當然是主題的象徵，意象豐盈，不只是柯玉雪，相信所有的讀者看到這幕景象，都會「爲之悵然不已」。所以柯玉雪在懷念張起鈞老師時說：「我們每一個人的生命，正如那一隻過馬路的小爬蟲般地脆弱，在經歷一連串奮鬥之時，稍不小心就隨時有喪生之險。張教授雖然沒能完成他的理想，但留下了不少寶貴著作，供後人閱讀，他的一生並沒有白費。」

《爬蟲與人生》內容多采多姿，有情有趣，從師友之情到家國之情，從胸懷中國到植根鄉土，從夫妻恩愛到家庭點滴。處處流露人生的眞實與深刻，有溫馨也有無奈，有諷刺也有激勵，其中最動人的是排列在前面的五篇：〈爬蟲與人生——悼念張起鈞教授〉、〈張教授的三句話〉、〈訪蘇雪林教授〉、〈沈教授〉、〈文老師〉。

「張教授的三句話」：「千里馬拉糞車」、「空大一定要唸畢業」、「光讀教科書是不夠的」！其中的肯定與期許，鼓勵與策勉，頗稱警策，眞個是畫龍點睛之筆。不但是柯玉雪一生受用，所有空大的學生也都理應獲益無窮。其實我也是張老師的學生，二十七年前，張老師有一句話至今感念：

「大學老師給予學生的，不只是知識的傳授，最重要的是觀念的澄清與方向的指引！」

有兩篇是寫空大老師的。作爲空大教師的一份子，我個人特別感到慶幸與警惕：如果您認眞教學，一定會比其他任何學校的教師得到更多的收穫與回饋；如果您輕忽怠惰，極可能會遭受到更大的責難與非議！柯玉雪很懂得讚美人，不只是「我見青山多嫵媚，料青山見我應如是」。更有意義的是心存口唸筆敍他人之美，自然擷取衆善，灌注到精神血脈之中，從欣賞別人進而能欣賞自己，無入而不自得！

其實，師友之情五篇文章中的幾位老師，都不算眞正在正式課堂上授業的老師，柯玉雪却能掌握機緣，轉益多師，不斷從他們身上掘取寶藏，這正是無上的福緣。諺云：「身在福中不知樂」，柯玉雪正是「不在福中深知樂」！威廉·范·俄康納在《美國現代七大小說家》書首的序中說得好：

「作家總應該熟悉他這行手藝，能幫助我們發現這世界上有些東西，是我們以前所不知道的，或者不是這樣知道的；使我們發現一些我們相信是眞實的東西……。他必須思索，使這些主題成爲活的東西，像個強烈的電流。主題應當與反抗它的、不受控制的、有一點沒有成熟的事物掙扎——應當把它克服，或儘量將它克服。」

柯玉雪的作品，有幫助讀者「發現」，也有「電流」與「克服」，至於個中滋味如何，那就有待讀者進入本書遨遊，自己領略與品味了。

今年五月底，香港鑪峯學會、香港中文大學新亞書院主辦的「兩岸暨港澳文學交流研討會」上，我宣讀的論文是〈眞誠關愛與粉飾自欺——評白樺的散文我想問那月亮〉，記得最後有一段話：

「聽說不久之後，白樺將應邀到臺灣訪問，希望能有機會請他到我家來喝茶，讓冬茶的芬芳與春茶的喉潤，滲透到白樺的生命和作品中！」

這話並不是每個人都懂，因爲白樺的作品氣盛而卓越，但如果苛求的話，則含蓄蘊藉的厚度與深度，仍可再求精進。現在我把同樣的話獻給《爬蟲與人生》的作者柯玉雪和愛好文學的朋友，請您喝茶！

爬蟲與人生　目錄

小　說

爬蟲與人生

——悼念張起鈞教授

在一次等公車的偶然間，我無意間看到一隻爬蟲在路上爬行。它沒有翅膀，只能慢慢地爬。看它的樣子，似乎想從馬路這邊橫過馬路對面，然而馬路上來往的車子，太多了。

「呼！」一下子就跑過一輛又一輛車，小爬蟲小心翼翼地深怕被車子壓死，卻又勇敢地向前挪動步子，我不自覺的開始爲它擔心。因爲它的前面實在是危機重重，或許路的對面有著它想要的一切。小爬蟲仍是不顧一切向前爬行，我發覺它的感覺是非常靈敏的，而動作卻嫌遲緩，祇要察覺有車子來了，它就努力地抽身退回原位讓車子先過，我在一旁看著不得不替這隻小爬蟲，捏了一大把冷汗。

好不容易這位「遠征者」，已經爬過四分之三的路程，我暗自慶幸它即將獲得成功之喜悅。驟然，一輛巨輪的大卡車氣勢兇兇地奔來，呼嘯而過，毫無留情地將小爬蟲輾斃，像隻標本般地貼在馬路上，再也不動了。也許那卡車司機，並沒有看到他的車輛，已經結束了一個生命。

但，我看到了，爲之悵然不已。

十二月八日晨，我在睡夢中，被室友的尖叫驚醒：「唉呀！你認識的張教授死了！」

「什麼？」我揉一揉惺忪的睡眼，定睛一看，室友遞給我的竟是張起鈞教授的訃聞。這對我猶如晴天霹靂的一擊，一時我無法接受這個事實，寧可相信這不是眞的。

記得十一月九日下午，我還到師大綜合大樓演講廳，看他好端端地站在台上演講，第二天他還打電話給我，問我他講得如何，並說他有好多講演錄影帶要送我。當時聊了好多其他的閒話，他精神還很好，以往他很少在電話中和我談這麼多無關緊要的話。

十一月十七日張教授再來電告訴我他已經住院，要我不必替他擔心，只是小手術，還要我等他出院再去師大上他講「老子」的課程。此後我再也沒有他的消息，這段期間我頻頻打電話到他家詢問，他的家人都說人在加護病房不便探視，爲此我夜夜失眠，每一闔眼就感覺好像張教授在我左右，若隱若現不忍離去之狀。直到接到訃聞，得知他已於十二月一日仙逝，心情比他生病時更加「無助」。我含淚打電話到他家，聽筒裡傳來他妻兒的哭聲，這才確定張教授眞的丟下他的家人、學生、讀者和我走了！

張起鈞先生是師大國文系的哲學教授，著作甚多。追憶張教授與我之相識，從讀了他的「高高興興的活著」一文開始，發現他的哲學造詣及超然思想。當時我在台南唸高職一年級（今已在台北結婚並唸空大）很想再買他的其他著作來讀，所以很冒昧地寫了一張明信片由報社轉給他，詢問他的著作出版事宜。萬沒想到他竟遠從台北到台南順道來看我，並非常高興，好不容易喜遇我這知音。

今年十一月五日，這是我們最後一次單獨碰面，他要我陪他去台北公園路公保門診中心看病，醫生要他申請住院檢查。我問他是什麼病，他還「騙」我說：「根本沒病，只是要身體檢查」。原來他知道自己已得了直腸癌，當天交給我一本陳舊的歷史手稿，說是日後我可以幫他出版成書，而他的「紀年自身」及「學術論文」索引……也影印一份給我，計畫由我替他寫傳。不料，傳尚未動筆，而他已告別了人間。

麥克阿瑟將軍說：「任何人都不會僅僅因爲活了若干歲月而變老，只有放棄了自己的理想，才會使人變老」。張教授從沒有放棄過他的理想，在我感覺上，他永遠是年輕而精神奮發的。有時他會爲了不能一展治國平天下的大志而感嘆。

記得有一天，他把他的日記，影印了一頁，特別指出其中一段給我看。上面寫著：

「近來精神頗爲悵惘，余有甚多創闢之見，諸如開發人之才能……非克己愼獨，倡導雙向人生而非單獨爲群、發揚行健不息之精神；而非守靜溺寂，倡導中道，而反對西風之以人滅天，及佛教之以天滅人……強振恕道，呼籲大同，挽救天下滄桑跛滅，積極美化宇宙……均爲前人未有之言，然苦思不知如何表達，苦思不知如何寫出，苦悶之甚！」今見其文，不能再見其人，不禁令我爲痛失一位仁者而捶心！

張起鈞教授的死，使我想起蘇東坡和子由澠池懷舊的詩句：「人生到處知何似，應似飛鴻踏雪泥：泥上偶然留指爪，鴻飛那復計東西。老僧已死成新塔，壞壁無由見舊題。往日崎嶇還記否，路長人困蹇驢嘶。」

我們每一個人的生命，正如那一隻過馬路的小爬蟲般地脆弱，在經歷一連串奮鬥之時，稍不小心就隨時有喪生之險。張教授雖然沒能完成他的理想，但留下了不少寶貴著作，供後人閱讀。他的一生並沒有白費。

「壯志未酬身先死，長使英雄淚滿襟」現在我含淚爲之寫下這篇短文，來紀念他生前對我的關懷與鼓勵。

（七十六年五月二十六日民眾日報）

張教授的三句話

有些幸運者，自小有良好的環境，國中上完考高中，高中上完讀大學，甚至研究所、博士班，求學之路平順容易。固然他們也費心力在學業上，但比起他們來，我們空大學生，要兼顧事業、家庭，求學之路就相形見難了。正因爲難，我倍加珍惜這樣的機會。每次遇見曾發願讀空大，後來見難退卻的朋友們，內心便不勝感慨。很想寫點激勵的話給他們，但往往心有餘而力不足。或許，目前仍繼續在空大的同學們，更需要這些勉勵的話吧！於此，願將影響我一生思想行爲之學者—張起鈞教授的三句忠言，與同學們互勉。

張教授於民國五年生，逝世於民國七十五年十二月一日。生前曾任北平中國大學教授，國立師範學院教授，天津益世報總主筆，新天地月刊主編，香港自由報督印人，美國華盛頓大學教授，夏威夷大學教授，南伊利諾大學教授，國立臺灣師範大學教授。他一生著作良多，如《中國哲學史話》、《智慧的老子》、《Wisdom of Taoism》、《文化學與哲學》、《中國的未來》……等數十種。於民國五十七年，初有「大同主義」之構想，「本乎儒家精神道家智慧，針對當前局勢，建立大同理想，尋求實現世界大同的途徑」。設大同學會；推于斌樞機爲理事長，先生自任秘書長（去世之前囑其學生王邦雄先生接任），共同為世界大同而奮鬥。雖諸理想格於時勢，未能全部實現，然其精神學問頗受國際思想界推崇，名載於一九七八年英國劍橋出版之「國際名人錄」。

「千里馬拉糞車」

「千里馬拉糞車」是第一句叫我終身難忘的話。約莫十年前，我仍在臺南讀光華補校幼保科。因投稿中華日報副刊，有幸在作家新春茶會得識張教授。當時半工半讀，只希望讀完高中，把鋼琴彈好，當一名安份的幼兒園老師。在求學期間，甚至連幼兒園也不會要的，所以只能充當水果店店員、書店女工……等待遇菲薄的工作。張教授知道我的狀況，又看過我寫的短文之後，第一句話就對我說，「唉，你這是千里馬在拉糞車呀！」

是嗎？張教授用千里馬來譬喻我，讓我覺得受寵若驚。我雖還知上進，實不敢自以為是個什麼樣了不得的人才，不過聽他這樣說，內心感念這份知遇之情，只有更加努力不負所望。

「空大一定要讀畢業」

「空大一定要讀畢業」，是張教授在我入學之初對我說的。自從結識以來，張教授總是不斷地寄他著的書，或他認為我該看的書給我，並每次來函不忘叮囑，要我準備好好考大學。我總是告訴他，我環境實在有困難，不適合上大學。正巧那年我補校畢業，空中大學開播，我北上到二姊家小住數日。某日，我在二姊開的首飾店裡幫忙，這位熱心教育的學者，竟拿了一些資料，同一張照片到店裡來。我看到他來，便上前招呼說：「張教授，您是要挑幾副耳環，送給太太是不？」他說「不是。」並給我一些如何報考空中大學的資料，和一張影印照片。

這張照片是他和一位學生合拍的，那學生理著一個平頭，瘦瘦乾乾的看起來似乎很憂鬱的樣子。他告訴我，那是他最得意的門生之一王邦雄，他說「在困難環境中的孩子，知道用功，書更可以讀得好。你看，我的學生王邦雄，環境也不是怎麼好，他有才華又肯努力，將來一定是個了不起的學者……。你要是肯努力，一樣有很高的成就。」

聽張教授的鼓勵，我考上空大，拿入學通知去見他，他很高興，但只對我說一句「空大一定要讀畢業」。當時我不能體會這句話的意思，以爲既然考上了，焉有不讀畢業之理！如今讀了五、六年，在工作、家庭雙重壓力下，倍感艱辛，才領悟他當時說那句話的用意，也更加敬佩他洞覺先機的智慧。雖然，我現在尚未畢業，但我已經感覺到自己因爲讀空大，很多思想觀念都在提昇，至此明白，何以教授定要我受大學教育之苦心。當時空大剛成立，很多人都對這樣「與衆不同」的學校沒信心。而他則認爲，即使一開始不盡完善，將來一定會漸漸上軌道的，況且，讀了總比不讀強。的確是，你讀與不讀，就差一截。爲應付考試，粗略地讀，與準備做學問，細細用心精讀，更是要差一大截。希望空大的同學們，既然報考進來，就好好地讀到畢業，屆時將獲益更多。

「光讀教科書是不夠的」

「雖然你生活艱難，我給你的書還是要讀」這是張教授仙逝後第二年，某日，我睡夢中他對我說的話。他生前要我到師大旁聽他「老子」的課，並灌輸一個觀念——光讀教科書是不夠的，那只是基礎而已。他要我讀諸子經史，我對莊子特別有興趣，他常不厭其煩地爲我解釋其中義理，甚至給我一套「經史百家雜鈔」……。他這樣苦心孤詣要我向學，無非希望我能繼續他「濟世救人」的志向，勵學尊道，修史傳世……然而這一切的工作，都在一個前提之下，此前提即先把空中大學讀畢業。

王邦雄先生如今已成爲名學者、作家、教授。每次聽聞王先生之種種成就，我總是暗暗替張教授高興，高興他的得意門生沒有讓他失望。今天，我把這些人事寫出，並非欲仗名人之勢以自重。而是要同學們知道一個事實——環境永遠不能剝奪，我們受教育的權利，除非自己先行放棄。困難永遠擋不住，我們上大學的心志，除非你根本無意於此。

張教授一生中感到最光榮的事有三：一，抗戰時期，他發誓日本人一天不投降，他則一日不進娛樂場所。如此愛國救國之精神，不愧爲中國人。二，民國三十七年，北平被敵圍困，政府專機接運他來臺。三，他未曾在美國讀過書，卻多次受美國各大學正式聘請，前去講學。爲中華文化遠播，立下不可抹滅的功勞。

有張教授爲模範，他對我說過的話，必定適用於與我一樣受環境磨鍊的人。盼同學們把握空大這個求學機會，勿妄自菲薄，實實在在地讀一些書，俾可爲中華文化之傳承與發揚，盡一份心力。

（八十年八月十六日、二十日新生報）

訪蘇雪林教授

——談屈賦新探、李義山詩謎

元宵節上午，我為編寫李義山生平之舞台劇，專程到臺南謁見九五高壽的蘇雪林教授。她雖聽力不佳，精神尚可稱健朗。我除了就李義山的諸多問題請教她，亦對她著的「屈賦新探」叢書感到興趣。

「屈賦新探」共分四冊，㈠屈原與九歌、㈡天問正簡、㈢楚騷新詁、㈣屈賦論叢。（三、四兩冊國立編譯館可購得）。她發現我對她的研究著述，深切喜好；雖得靠助行器才能走動，仍不厭其煩地從書堆中，找出她自費排印的《天問正簡》一書贈我，並為我講述其中道理意旨，及一些耐人尋味的小故事。

首先，這《天問正簡》的書名就是一大學問。「天問者，屈原之所成也，……」漢代屈賦權威王逸曾有「呵壁說」認為「屈原放逐，憂心愁悴……見楚有先王之廟及公卿祠堂，圖畫天地山川神靈，琦瑋譎詭，及古聖賢怪物行事，周流罷倦，休息其下，仰見圖畫，因書其壁，呵而問之，以渫憤懣，舒瀉愁思……故其文意不秩序。」

雪林先生推翻「呵壁說」，考證出天問雜亂，是由於「錯簡」。主張「古人文字多刻於竹簡或木片之上，連綴以繩或皮帶，每簡所寫不過十餘字，至多不過三四十字。彼時尚不知採用『號碼』分別簡的次第，年深日久，連綴的繩索或皮帶磨斷，則簡亦零亂了。」她除了爲天問正簡之外，並對天問內容詳加考據，引當時流傳入中土的「域外知識之總匯」，分天文、地理、神話、歷史四方面深入探討。在歷史這部份，有段關於「禹」的傳說——

天問：「伯禹腹鯀，夫何以變化。」山海經海內經第十八「帝令祝融殺鯀于羽郊，鯀復生禹。」初學記二十二，路史後記註十二「鯀殛死，三歲不腐，副之以吳刀，是用出禹。」天問正簡：「凡人皆孕於母，禹獨孕於父，而且孕於三年不腐之父屍。必待剖之以刀，始行生出，事可詫。前人因禹乃聖賢之君，其誕生不當如此怪異，所以山經歸藏的文字明明在前，也裝作沒看見，而另外想出話來替禹遮蓋了。——

也就是說，大禹的父親鯀因治水失敗，被誅殺羽山（羽郊），他的屍體歷經三年仍不腐爛，且肚子一天一天大起來。堯（或舜）覺得奇怪，派人用鋒利的刀，剖開他的肚子，禹就從他肚子生出來。那麼說，中國第一個懷孕的男人，應該是鯀，第一個剖腹產生出的嬰兒是禹囉！這聽起來很有趣，而這種有趣的故事，《天問正簡》裡舉得出不少。

司馬遷《史記》屈原列傳：「余讀離騷、天問、招魂、哀郢，悲其志。」連公認爲富理性的偉大歷史學家司馬遷，都說出「悲其志」，這麼感性的「讀後感」來，可見屈原作品之感人至深。可是《

天問正簡》印成之後「除託朋友代銷者外，寄書店數年，半本也賣不出，書店倒閉，數百本書便消歸烏有……」（見文訊三十期蘇文）為此，蘇教授問我，這書與編李義山舞台劇，或對其詩之研究，並不相關，一般人不會想讀，你為何有興趣？當時我直覺，著書立論的作者，多半希望讀者愈多愈好，怎會有此一問？暫時回答說，是對詩人的偏好吧！回到家中將屈原與義山生平遭遇作一比較，發現他們同樣生在朝代將亡小人當道的政治黑暗期。官途不順，歹人陷覬，滿腔濟世救國熱忱不得抒解。正是「信而見疑，忠而被謗」，遂將義憤，發之於詩。

李義山推崇屈原「舉世混濁而我獨清，衆人皆醉而我獨醒」的氣節。他的詩引屈賦典故的如「湘波如淚色漻漻，楚厲迷魂逐恨遙。楓樹夜猿愁自斷，女蘿山鬼語相邀。空歸腐敗猶難復，更困腥臊豈易招。但使故鄉三戶在，綵絲誰惜懼長蛟。」——楚宮——又如「書論秦逐客，賦續楚離騷。」——獻寄舊府開封公……。

引述之外，義山更時常襲用屈原的詞句，計有——「杵冷女嬃砧」——念遠詩。出自離騷：「女嬃之嬋媛兮」。女嬰乃屈原姊。水經注：「秭歸縣北有屈原宅，宅外北六十里，有女嬃廟，擣衣石猶存。」

「逢齏即便吹」——詠懷寄秘閣舊僚詩。原於九章：「懲熱羹而吹齏兮」。

「郢路更參差」——贈柳詩。襲用九章：「惟郢路遼遠兮，魂一夕而九逝。」

「鷤鴂妒芬芳」——崇讓宅東亭醉後詩。參閱離騷：「恐鵜鴂之先鳴兮，使百草之為不芳。」

「上帝深宮閉九閽，巫咸不下問銜冤。」——哭劉蕡詩。見離騷：「吾令帝閽開關兮，倚閶闔而望予。欲從靈氛之吉占兮、心猶豫而狐疑。巫咸將夕降兮，懷椒糈而要之」。

「雨打湘靈五十絃」——七月二十八日夜與王鄭二秀才聽雨詩。參較遠遊：「使湘靈鼓瑟兮」。

「荷翻翠蓋水堂虛」——和劉評事永樂閒居詩。參較九歌：「築室兮水中，葺之兮荷蓋」。

人的喜好有時是沒有理由，也不需要理由來解釋，爲什麼有興趣這個，不興趣那個。況且，愈受到世人冷落的「絕學」，愈需要後人付出心力，用功學習，以傳承世間。

論事跡、著作、思想……屈原當然比李義山豐富，具戲劇演出價值。唯已有文人郭沫若，寫過關於屈原故事的舞台劇，關於義山生平的則無。又近自蘇雪林教授著《玉溪詩謎正續合編》一書中，知李義山戀愛故事之詳，雖學術界對此論點尚有爭議，仍不失爲一良好的戲劇題材。

時代在變，觀念豈可陳腐？

封建時代，君主一人獨擁后、妃、嬪、婕妤……衆女服侍。如今，以現代人的眼光來看，可以想見，當時後宮失寵佳麗之怨氣，該如何排解？站在人道立場而言，這樣對待女性是極不道德的。本持中國人「溫柔敦厚」的民族性，來看待失意才子李義山與宮娥間，凄麗瑰艷的愛情，能不爲其相知相惜，寬容付於同情嗎？或有人說，一個男子會談戀愛實不足取，與「有夫之婦」談情，更是有損自身名譽的愚行。然古往今來，多少談情說愛的痴男怨女，可沒一個能寫出像義山「無題」諸多凄美感人至深的情詩來。而這情詩背後的愛情故事，也因詩境的提昇，引發我們想一窺究竟的興味。此正說明，何以蘇教授的「屈賦新探」比「玉溪詩謎」博大精深，更富學術價値，卻反而比較少人談論。這也許是蘇教授始所未料及的。

屈賦也好，李詩也罷，均非一朝一夕，能通然豁解的。在辭別蘇雪林教授，離開她滿室書香的幽靜居所時，我便告訴自己——你還得再來——願上蒼嘉佑碩學通儒的蘇教授。待我再訪之日，相信她健朗依舊，仍可精神抖擻地，爲我講述好些有趣的故事。

（八十年四月十二日台灣日報）

沈教授

空大唯一遺憾，就是無法當面向老師表達敬意與謝意，所幸還有「空大專版」，肩負傳達我們心聲的重任……

民國七十六年九月三日，我在行政院文化建設委員會主辦的「青年文藝作品研討會」上，第一次聽沈謙教授的課。當時主辦單位是請他主持某位年輕作者的小說作品研討活動。我對該篇小說內容已不復記憶，卻對沈教授的「開場白」始終銘心難忘。

這開場白大意如下：各位年輕朋友們，今天我雖然被邀請來，站在這個臺上說話，並不代表我所說的每一句話都是對的。我只能說，我根據個人的所知、所學、所經驗過的事實，來與各位討論……。

聽了這樣的話，最使我百思不得一解的是；一位被公認的學者，爲什麼要自謙到——說自己的見解不一定正確——的地步。我很懷疑這種程度的謙虛，是否涉及虛僞。但是看到沈教授誠懇認眞的態度，又不像在作戲。我思考這個問題很久，以我當時淺薄的認知反覆思考。何以一位得過師大文學博士，任過幼獅月刊主編、中興大學中文系主任、空中大學人文系主任……等要職的學者，在面對一群二十多歲的年輕人時，還需要講這麼謙虛的話語？

在上過沈教授的許多課後，我漸漸了解沈教授說這話的道理所在。就讀空大以來，我修過沈教授擔任的課程計有：中國文學概論，詩詞曲賞析，敘事詩……等，經由課堂上（收看電視）專心聽講，課後靜心反芻書中道理。我愈讀得多，愈發現自己的淺薄。愈思考愈覺得，面對中國文學的廣博精深，誰能不自覺渺小微薄呢？

沈教授在「敘事詩」這門課，講到〈陌上桑〉這首詩時，說：「照現代的標準而言，一個大人物，必須具備三望——威望、資望、德望。」就一個有心向學的空大學生而言，一位好的老師，最基本的要具備「德望」，才能不愧於爲人師表。若能同時兼備「資望」，將更受到學生的愛戴。如今，我受教於沈謙教授，在獲益之餘，除了由衷敬佩老師的學問，同時也爲所有空大的同學們感到高興。因爲，我們的沈教授，至少兼備德望與資望呀！

空大是透過傳播媒體進行教學的學校，這種教學方式有很多方便之處。唯一使人遺憾的是，不能當面向老師請教問題。也無法向我們尊敬的老師當面表達謝意，甚至連老師的地址都不得知。所幸還有「空大專版」，肩負起傳達我們心聲的重任，讓我們能經由筆端表達受教後的感受。

猶記那日沈教授以討論、閒聊的方式，向參加青年文藝作品研討會的朋友們談到，在空大任教，面對機器講課，看不到學生的反應，感覺不太好。聽到這話當時我有一股衝動，想向沈教授說，我是您的學生，我都很用心地按時聽您講課呀！

由於怕老師覺得我太唐突、輕浮，我終究沒有說出想說的話。因爲老師根本不認識我，我又怎能隨隨便便、冒冒失失的去向老師自我介紹？現在經過「空大專版」這座橋，我要向沈教授說出心裡一直想說的話，相信也是諸位同學們想說的。

敬愛的沈教授，謝謝您，雖然您看不到我們，但我們看得見您，請您一定要繼續教課。因爲我們都在聽，聽您的教誨。

（七十九年十月九日新生報）

文老師

易經曰：「謙謙君子，卑以自牧也。」這謙謙君子四字，是稱道謙讓的人，而我們敬愛的文祖湘老師，是當之無愧。

文老師是本學期「公共衛生與環境保護」的面授老師。雖然我總共才上了四次課，卻因他謙沖認眞的教學態度，而留下很深刻的印象。

記得第一次上課，文老師「開宗明義」，便對我們做一些善意的要求—作業一定按時交、考試一定要到………總之，要我們配合學校的規定。我私下仔細想想，也唯有這種實實在在的求學態度，才能穩紮穩打，拿到預定的學分。「開場白」之後，老師便大大方方的把家中地址、電話、辦公室電話都抄在黑板。而且連適合打電話給他的時間，從幾時到幾時都標示清楚，顯示出他是誠心誠意的，而非應酬作態，眞是令我暗自歡喜，我們空大也有眞正願意接納我們這群—不太被眷顧只能自求多福的、非專業學生—的好老師了。

各位在看到我用「不太被眷顧」的字眼時，或許會認爲我太悲觀了。然而，這不是悲觀與否的問題，而是空大目前存在的一個現象。那就是來爲空大學生面授的老師們，每一班上課最多四次，便「

蟲飛鳥獸散」了，無從建立師生情誼；以致講課的老師與上課的學生，都有一種「暫時合作」的不安心理。老師們當然願意盡量給予學生多一點幫助，但礙於對學生的程度背景所知有限，往往顯出力不從心的窘態。

記得第三次上文老師的課時，因爲班上同學期中考考得不太好，老師非但沒有譏笑我們程度差，反而安慰我們不要灰心，不過是「馬失前蹄」，只要用功，期末考還是有「敗部復活」的機會。並且一方面自責，怪自己不該在考試前的課堂上，對同學們說了「太難的不會出」的這樣推測性的話來，結果與考試題目方向不符，害得大家受影響。我聽了這番話後，大受感動，原本因爲期中考不甚滿意，幾乎想放棄期末考的想法，便不翼而飛了。

試想，一位只上我們幾次課的老師，在我們成績不甚理想時；非但沒有瞧不起我們，也沒有擺出專家學者的架子，反倒善言善語來安慰我們。這樣的好心腸，我們如何能不感到慚愧，而努力學習爭取好成績呢？

中國自古有句老話「身教重於言教」。文老師常鼓勵同學們發言，用雙向溝通的方式授課；即使學生所說的並非什麼高見，他也都耐心聽完，加以整合。在談到某個未成定論的問題時，文老師總不忘記說，歡迎同學們有這方面的新消息或資料，用郵寄或打電話給我，我非常樂意與各位討論……。如此執著學問研究，與尊重他人的態度，正是對同學們最好身教呀！

根據教育心理學者指出，學生的實力多半是在同伴的競爭，或教師的稱讚中表現出來。的確，像文老師這樣謙沖自牧的好老師，給我很好的啓示。其實每位空大的學生，如果不自暴自棄的話，終不至淪爲「一隻被棄守的羊」。要是能本著謙虛爲懷的態度，實實在在的讀書求學，一樣可以獲得不少寶貴的心得與更充實的學問。

（七十九年七月三十一日新生報）

蜜桃香城話成都

爲了達成研究香妃的目的，我陪同龍昭赴大陸，走一趟「絲路之旅」。在往蘭州之前，我們先由香港轉往成都落腳。

成都乃四川省省會，爲該省政治、經濟、文化中心。境內有許多名勝古蹟，由於到達時已午後兩、三點，又下著雨，這兒的地陪（指當地導遊）便安排我們一行十八人，先參觀武侯祠。

按武侯祠正確的名稱應該叫漢昭烈帝廟，原是南朝齊第一代皇帝蕭道成爲劉備建築之廟宇。據說，晉朝李雄曾於城中修建諸葛亮祠堂。唐武宗時，李回擴建漢昭烈帝廟，將武侯祠併入漢昭烈帝廟，成了今日君臣合廟之規模。及後由於諸葛亮的名氣，與受歡迎程度，遠勝於他的主子劉備。儘管此廟的主祠神爲漢帝王劉備，然民衆仍普遍以武侯祠稱之。

進入武侯祠，最叫人難忘的是其間碑文、詩文書法之美，如柳公權之兄柳公綽所書之「三絕碑」、正殿兩邊之岳飛草書「出師表」……等歷代詩人、名家之作。這些資料可以自武侯祠介紹之類的專書或簡介中找到，唯關於劉備與甘、糜兩位夫人合葬之「惠陵」（帝墓）所流傳的神話故事，則較少文字紀錄，其大略情事如下。

據說，一般陵墓每每見不肖者盜挖寶物，獨劉備墓——惠陵，未有盜墓之事，豈非怪哉？相傳曾有不肖盜墓之徒二人，欲圖陵墓中財寶，在某個月黑風高的夜晚，挖開此墓入內尋找寶物。不想，奇事發生，撞見劉備與甘、糜兩位夫人，正在飲酒作樂。頓時，盜墓者嚇得正要拔腿逃跑。就在此時，劉備已發現他們兩人，趁著酒興，邀他們同樂，並御賜美酒，命其飲之。不知道這酒，是否即是四川最好的名酒——五糧液？喝了酒之後，二人急著要告辭了，劉備特別賜給他們一人一條腰帶，做爲紀念。兩人當下束起御賜腰帶，告別漢帝，一出陵墓，當然轉頭飛奔逃命要緊。回到家時自認安全，想要交談卻發現剛才喝的酒，已變成漆把他們的嘴巴給黏住了。再看腰際所繫，哪裡是腰帶，是條蛇吶！

參觀完武侯祠，搭車往宿錦江賓館，在上車之際，一群小販蜂擁而上，向我們推銷水蜜桃。看來他們在門口已守候多時，人手一籃又紅又大的水蜜桃，叫賣者「一籃只要台幣一百，台幣一百！」算來一籃要有二十個左右，在台灣，一百元恐怕買不到三個，而此地竟然這麼賤價出售，眞是太便宜了。同行者也不是不想吃那桃子，只是那麼多，一旦買下來，怎吃得完？此去蘭州帶太重的東西簡直受罪，所以沒人願意買。龍昭爲了擺脫他們的糾纏，買了一籃分贈同伴。我嘗了一個又紅又大的，的確很爽口，香味特佳，聞之令人神志清明。

居住在台灣寶島，以往四季都吃得到各色水果，今年由於天候不調和，水果普遍貴又不太好吃。行前只在旅行文化指南等資料中得知，成都織錦業盛，又名錦城。後蜀後主孟昶曾命人在城牆四周遍植芙蓉木，故而別名芙蓉城，或簡稱蓉城。今日到此一遊，正逢水蜜桃盛產，眞是幸運。誠然，我一介文人，無赫赫之名，沒有資格替成都命名或立碑。但，假若有人問起，你到過成都嗎？那是一個怎樣的城市？我絕對不會使用地理課堂提及的「天府之國」。我會很愉快，並用甜蜜的回憶方式說，我喜歡叫她蜜桃香城。（本文寫於成都錦江賓館）

（八十一年八月十四、五日立報）

青城山背磚人

在四川成都近郊，有一座號稱天下第五名山的青城山，享有「青城天下幽」的美譽。在上山的人當中，有一種人特別引起我的注意，那就是背磚人。

起先不明白，遊客多半提著簡便行李上山，背磚人為何背負約二、三十塊的磚上山？是在練身體嗎？為了解開心中疑惑，一打聽，原來他們是在工作，掙錢養家呢！每背一趟磚，就可領到人民幣四元的酬勞，折台幣約二十元左右。上、下山一次，包括休息時間，兩小時總要的。我兩手空空走一趟，都覺得雙腿酸軟，體力透支了，更何況他們背了磚，一天走好幾回！為此，有些裝備是不可少的。

第一樣是水。由於背部背了木頭架子及磚塊，要取下所背重物、或彎腰捧起路邊的泉水來喝，都是相當困難，甚至不可能。所以，他們每人必定在脖子上掛著、或腰間繫著一壺水，一壺足夠他們沿途飲用的水。

其次是竹杖。這竹子做成的一般叫枴杖，但，背磚人使用的這根比一般人粗而結實，所以我叫它竹杖。通常枴杖，頂多支持一個人的重量，免得使用的人跌倒。這竹杖的效用，主要用在支撐那些磚的重量，以便背磚人將竹杖頂在木架上，站立路旁，做片刻休息。

最後則是毛巾及點心了。這是所有靠勞力賺錢謀生的人都需要的，並且是最基本的需求。雖然他們人人看起來肌肉結實，身強體健的。但是只要稍微用一點思考力，即知，他們連這麼代價低又吃力的工作都願意幹，可見其生活之貧苦與求生之艱難。看他們全身濕透，在遊客間快步行走，其實說小跑更恰當。一方面趕著盡快上山，多賺些錢；另一方面又得閃避遊客，以確保彼此的安全。看著他們爲生活勞苦奔波的身影，使我想起也曾經靠勞力掙錢養家的父、母。

在機器未普遍的時代，父親要在烈日下終日於田間工作，才能確保一家的溫飽。而母親更是想盡方法來增加收入，改善家人生活。在三十年前的台灣農村，各種資源仍相當缺乏，工作機會也很難求。母親一無特殊才能、二又識不得幾個字，頂多只能認我們家人的姓名、及簡單的數字，她要找副業，則難上加難了。

也不知是那裡得到的靈感，母親居然找來畚箕和舊鋤頭，閒時便到村中及田間小路收集牛糞，回家當堆肥，於是村民叫她牛屎婆，我們姊妹，都成了牛屎婆的女兒了。

母親勤快收集牛糞之外，又起早睡晚的，到糖廠設在附近拉運甘蔗的小火車站，去拾取甘蔗葉，挑回家來。一部份拿來當柴燒熱水，一部份跟牛糞配合，一層蔗葉，一層牛糞的堆在糞坑裡。由於我家田地有限，使用之基肥不多，母親便把多餘的牛糞肥料，賣給村民，這種行業恐怕只有我母親想得出來吧！

要拿別人的每一分錢，都要付相當的代價。母親出售肥料，並不是把那牛糞和蔗葉，堆在糞坑內就沒事了。還要「出糞」，也就是在肥料堆得夠爛，達到要求的程度，將之挖出，堆在地面上。一般是把它們堆成正方形，曝晒數日之後，等它水份蒸發到一定的程度，再請要購買的人來議價。成交後，這些肥料正好不太溼也不太乾，很方便用牛車運到田裡施撒。

那是我還在讀國小時的事了。糞坑的肥料已到了該「出糞」的時候，這種粗重的工作，一般是男人作的，但，父親一開始就反對母親做這些撿拾牛糞的事，所以他不幫忙出糞。母親只好自己出了。我年紀小，又沒事，一方面怕母親在糞坑內發生什麼危險，就站在一旁陪她。二方面打發時間，並送茶水。省得母親在糞坑中爬上爬下。

糞坑嘛，臭味自然免不了。更可怕的是，那裡面有一種肥肥圓圓的，像蠶又比蠶大的蟲。俗名叫「雞母蟲」，正式名稱如何我不知。母親說這種蟲是來吃肥料的，一定要把它抓起來弄死，免得肥料都讓它給吃光了，賣不到好價錢。於是她每抓一隻，就丟過來，叫我看著，等她上來再一起將它們「處死」。我便從一個陪母親「出糞」的小孩，成爲「雞母蟲」的衛兵。當時覺得那些蟲眞恐怖、噁心，現在想想，這個經驗還眞難得，並且是個歷史經驗。不然，如果有時間到街上去問問，有幾人有過這種經驗？可能只有我吧！再說，要想重享一次當著「雞母蟲」衛兵的滋味，在今日科學肥料盛行的時代，是不可能的了。

比起背磚人，母親出糞時的勞苦，更能顯出勞工的神聖一面。看，她一面把肥料挖起，一面抓蟲。衣服未曾乾過，腳下都是污穢。圓鍬挖久了，就握不住容易滑走。她便在兩個手掌上，分別吐一口口水。藉口水的作用，握住工具，再繼續幹活。

或者這就是所謂的生活吧！雖然如今都已成過去，但，那一幕幕景像，我是想忘掉也難啊！

到青城山旅遊的人們，當他們在宏偉典麗的建築中，欣賞美景，休息喝茶，會有誰想起這些建築物磚塊的來歷？在飯桌上，衆人大口小口的扒飯吃菜，會有誰想起，這米這菜是如何長成的？還有那說不完的其他勞工，他們的工作圖像，不正是生命的象徵嗎？對那些最喜歡問生命的意義是什麼的哲學或文學系學生而言，如果只天天到課堂上聆聽教授，講述生命的意義，那麼他們獲得的將只是，一堆沒有用而不切實際的學術名詞。要知道生命的意義？何不去看看背磚人及其他勞工？了解他們的生活、觀察他們的工作

（八十一年十月二十一日立報）

包裝一下又何妨

日本某雜誌有一個標題爲「流行賣點——日本點土成金術」的小故事，大意是說：

日本有個走江湖的商人，因身上所有的旅費，都被人扒走。他急中生智，馬上到山上挖掘紅土，裝在精緻的禮盒中叫賣。

「住家的風水是很難改變的，凡是住家方位不好的，將這潔淨的土埋在屋簷下，就可以趨吉避凶……」

如此，這位商人以泥土換錢，賺回了被扒走的旅費。

表面上看來，這位商人似乎有一點詐財之嫌。他的顧客向他買到的除了「精緻禮盒」就是一把一無用處的廢土了。

廢土原本是無用的。由於「精緻禮盒」的包裝，加上賣者斬釘截鐵的說詞，使得買主相信它是可以趨吉避凶的。因爲這種信任，買主購買到的不再是無用的「廢土」，而是可以使人心安的「神土」了。

一樣的「土」，如果不用精緻禮盒包裝，任憑再好口才，也沒有人會相信它具有何等神效。相反的，愈是包裝得精緻，愈是容易贏得信任與購買。

商場如此，人生何異？

中國傳統思想偏重在「務實」，講求「內涵」，而輕視所謂的「表面功夫」。然而，時代變了。由於競爭的激烈，使得有內涵有實才的人，若不經過適當的「包裝」，則不易被發現，被重用。很少人願意再耐著性子，慢慢去探察他人的內涵；那太浪費時間，也不合時宜啦！必須透過種種「包裝」的幫襯，把個人的才華展現出來，使自己被認識，被注意，進而被接受。更具體的說，現代人要功成名就，就得先做好成功的「自我包裝」。

劇作家姜龍昭先生，曾說過一個眞實的故事——

有一位電影導演，爲了拍古裝片，劇中需要一塊「和氏璧」做道具；劇務去採購了好多種不同形式的璧玉，導演看來看去，總覺得不滿意。劇務不知該怎麼辦時，一位高人給他出了個主意——把原先的那塊璧玉，裝進一個古色古香的「錦盒」裡。經過「包裝」，導演一看果眞滿意極了。可見，即使一個道具，稍經包裝，也就身價不同。

「人生如戲，戲如人生」。

在研究學問，要求謙虛……避免招搖的同時，何妨「包裝自己」一下。也許稍經「包裝」，自己一樣就身價不同了。

（七十八年七月三十日中華日報）

快樂之泉滔滔流

工作是責任，是義務，是對社會的回饋與本身能力的證明，更是快樂的泉源。

國中畢後後，我就離開嘉義老家，出外半工半讀。由於學歷不高，又沒有什麼技術，所擔任的職務多半是苦力、雜務、助教之類的事；每天像機器一般地被指派、操縱，常常感到工作乏味，沒有發揮的餘地。不知該如何表現能力，更不知道自己的能力何在。每次看那些擔任要職的人，非常羨慕，立志有朝一日要像他們一樣受重視。

隨時觀察人、事、物情況變化之習慣，使我發現一個急須投入的工作—幫助那些肯上進的人，找到自己努力的方向—寫作是最佳途徑。

從身邊熟悉的人到未曾相識者，有太多太多的人不滿現實，一腔抱負理想，卻不知如何達成。更令人驚訝的是，有些人甚至變成醉生夢死，過一日算一日地混日子，這種頹廢的現象太可怕了。果眞要這樣胡混瞎混，那活著與死了有何差別？自從發現了這個事實，我就視寫作爲事業，把我的想法經由這隻筆敘說出來，養成「寫癖」，發表所見所聞之感觸、宣揚積極樂觀奮鬥的人生觀。當然，充實學問與專業知識是必須的；否則如何寫出具文學價值，又對讀者有助益的文章來。所以，每天規定自己閱讀、搜集資料，也是我的工作之一。

誠如經國先生所揭示：「人生非爲生活而工作，乃爲工作而生活。」爲生活而工作的人缺少快樂，爲工作而生活，亦即爲完成理想而工作的人充滿喜悅。在工作中「以貢獻代替占有，以力行代替空言，以冷靜抑制虛妄，以理智克服衝動。這樣必能度黑夜如白晝，歷萬劫而彌堅。」我們在工作中應盡心盡力求進步，成爲仰不愧天、俯不愧地的好漢。既能問心無愧的悠然自處於天地間，還有不快樂的嗎？

若有人問我：你是不是有工作狂？

我答：不是，那是快樂的泉源在滔滔流呀！

（七十九年二月四日立報）

心靈的囚房

得獎應該是件愉悅之事，只是當她在領獎過程中，體悟到──這一生將永遠有許多擺脫不了的桎梏。──怎任由她，不禁興起綿綿隱憂與長嘆？

並不是第一次得獎，只因給獎單位是國防部，所以從口試到評定獎次、領獎。其過程之繁複比一般文學獎更甚。軍方辦事要求嚴格，從活動開始到結束，共分三天進行比照金馬獎的方式辦理。而且電話及書面通知，就如岳飛在陣前接的金牌令箭一樣，一道又一道。讓人覺得必須愼重其事，不敢掉以輕心。

正式領獎那天，縱使只得了個相當不起眼的，文字類廣播劇本佳作獎；但，她著實不敢怠慢。在工作人員特別叮囑，服裝一定要求正式得體之下，她跑遍了全市、大小服裝店，好不容易找到一套，有著英國鐵娘子、柴契爾風格的，寶藍色西式套裝。

穿起新衣，果然精神抖擻，面目煥然一新。滿懷信心到達會場，發現現場不管是領獎人、軍職、文職、甚至工作人員，各個衣飾光鮮，都是挺直挺直，像可以隨時趕赴沙場作戰般的好漢，士氣高昂。心下暗自慶幸服裝合宜，並未丟臉失禮，然而平常慣穿休閒服的她，感到疲累不堪。尤其不愛穿高跟鞋的雙腳，此刻更漲痛發痲呢！當得獎人排排站好。準備攝影留念，全部的人都就位，等候地位最高的參謀總長入座時。她因爲個子矮，站在第二排正中間；使隊形呈倒V字形。巧的是，前面正好是總長的席位，她聽到有位工作人員，指著她輕聲的對攝影師說：對準中間穿藍衣服的那個。

背景，總是在標的物到來之前先行設定，她忽然想拋開身軀及那套令她覺得受綑綁的衣服。回到書桌前，只須一盞微弱的燈光，淡淡清茶，濃濃書香，撕開稿紙，她就是完全自由的人。想著想著，總長已在隨從護衛下，到場坐定，攝影機鏡頭也開始對準，她那套有柴契爾夫人風格的寶藍色套裝……。一切似乎都在最佳狀態，因爲每個人嚴肅的表情中，除了禮貌與微笑，還互相保持一分生疏的恭敬。在攝影師按下快門那一剎，背景與標的物同時成爲這一刻會合的圖證。主辦單位的負責人，也可安心的爲這一日的盛會留下句點，並自喜其場面之隆重。

爲了體面，每個人必須選擇一套合適的衣服，站（或坐）在適當的位置待命。爲了活命，人類將心靈寄託在肉體中圖存。身分與地位固然給于人一時的尊榮與權勢，卻同時也是自身行動的桎梏。飄逸的心靈，無奈被禁錮在肉體與慾望的囚房。想起這一生一世的綑綁，她長長的呼了一口氣，噓！何不在寫作中暫行自我釋放？無須疑惑，她的確只要求一盞微弱的燈光，一杯淡淡清茶，伴著閒情，及濃濃的書香…………。

（八十一年十二月二十一日立報）

溪洲村傳奇—敬姑婆

夢中有位黑衣女

去年，家父應村幹事之邀，在村子西南角處，整理重修一個小公園，方便義竹鄉公所推行環境綠化的人員視察。園子整修完工不久，適逢家祖父逝世，我回老家奔喪。久居台北繁華東區，平日瑣事繁忙，得空回家鄉溪洲村，總愛在鄉間小路閒步流連，聊慰鄉愁，兼懷童年趣事。

祖父喪事完畢，依往日習慣漫步村中小路。心想，父親整修的小公園，不知是何景況？去看看也好。我自己把這小園叫爲「西南小園」。園中新植花草與村民口中的「聖公樹」，是構成景觀之主體。小園最南邊有一間佔地七、八坪左右的家廟，供奉神位上書「敬姑婆」三個字。在廟裡內外轉了幾圈後，我找不到一塊有關此廟來龍去脈的文碑，心裡便繫念著「敬姑婆」。

回台北，是夜得一夢。夢中我見家鄉一地下室，出口有亮光，於是攀爬階梯到出口處。從出口處向外一望，見一身材高䠷壯美的黑衣女。她自顧悠閒地，並未理會我，也沒見著我，旋即夢醒。

黑衣女是誰？我從未見過她，只是直覺到，她該是家鄉人氏。但，她爲何出現在我夢裡？既是家鄉人氏，爲何我從未見過她呢？

一股來自家鄉的神秘呼喚，要我回溪洲村一探究竟。

無嗣孤魂居村西

訪「敬姑婆」祭祀主事水音伯（侯水音先生），始知敬姑婆，乃溪洲村人氏，居今村西「西南小園」，因人死屋倒，無後裔繼承該地，魂魄一直滯留看守祖產家業，不曾加害任何大小生靈。附近村民遂爲她建一小小家廟，一年三大節，即過陰曆年、清明、陰曆七月十五日中原普渡，固定燒香禮拜。平常偶而也有人備鮮花、素果、清香來表示對她的尊敬。

今溪洲村位於義竹鄉境內，緊鄰朴子鎮，有四線道省路主幹經過。省路以東稱上溪洲，以西稱下溪洲。先民早年居台灣省彰化縣溪洲鎮，由柯氏家族遷此居住，陸續有顏、許、蔡、洪、葉……等雜姓入居，今之農民子弟，多流向都市尋求發展。

根據台灣史料，明永曆十五年，即清順治十八年（西元一六六一年）陰曆三月廿三日。鄭成功統率兩萬大軍，自金門料羅灣水路出發，攻打當時仍在荷蘭人統治下的台灣。同年四月一日艦隊驅逐荷蘭人，由鹿耳門水道進入台南，此後在台灣實行大規模的闢土屯田，設官署、制禮樂、興文教……。由此算來，台灣接受漢文化影響約三百三十年左右。敬姑婆家廟歷史，比開台歷史短少了許多，計約有一百五十年至三百年之久。這期間如今知曉的，「三倒三建」此廟，流傳著許多即將被人淡忘的趣事。

康走燒籬被數落

如果不知的不算，敬姑婆家廟第一次重建，由洲仔寮人康走所爲。

按洲仔寮乃溪洲村西北方，田間的小聚落，因人口不足稱村，以此名之。康走本居洲仔寮，爲耕種便利移居溪洲村與自家田地相近處，因此得了一個綽號叫康茄走（台語）或茄走仔，表示這人已搬走的意思。

在那個時候，農村物資普遍仍很缺乏，敬姑婆家廟只是一間小竹屋。竹材取得雖然不難，要種竹必需有空地，有空地還得等它長高，才能取用，有些竹子甚至可以賣錢的。竹子沒有木材或磚石來得牢靠，家廟在風吹雨淋日曬霜打之下，竹籬漸漸脫落，竹屋殘破不堪。

有一天黃昏，康走自田間收耕回家。看到脫落在地的竹籬，就順便抱回家，以爲沒有什麼關係。心想，正好可以利用這些爛竹籬，燒一大鍋熱水，好好洗個熱水澡。

康走捲起袖子，灌滿一鍋預備要燒熱的水。正在忙碌之間，有個長相端正，身材高壯，年約五十歲的女人，急急來到他身邊，問他——

「少年仔，你拿我的竹籬仔要做什麼？我家的東西你怎麼這樣隨便亂拿？……」

康走一聽到「我家的」三個字，嚇得一句話也說不出來。沒想到「撿」了幾片「破」竹子，姑婆找上門算帳了。事不宜遲，康走三步併做兩步，迅速抱起那些竹籬，歸回原位。忙跪在地上磕頭如搗蒜，說——

「對不住，我不是故意的。失禮，失……失禮……」

登宏灌水惹禍端

家廟第二次重建，也是本村人氏，名葉登宏。

葉氏村民的農田，正好在廟邊，田裡種著水稻。有天夜裡，他灌溉好稻田回家睡覺，便做了一個夢。夢中有位高大的婦人對他說——你田裡的水淹到我家了，快想辦法幫我退水。——

夢醒後，他不記得自己曾用水淹誰的家，以爲只是個怪夢，便繼續睡。可是過幾天，他們家發生怪事，有個家人在家裡，無緣無故被不知什麼東西給捽痛。送到醫院去，一進到醫院就好了，醫生檢查也說沒有病。然而回到家中，又給捽痛了，這樣反反覆覆好幾回，登宏仔眞不知該怎麼辦。

正在愁眉不展的時候，登宏仔在家附近走著走著，思想解決之道、看到敬姑婆家廟整個泡在水中，是他灌溉稻田時，不小心讓水溢出來惹的禍。又想起先前的那個怪夢，才想到，莫非是自己得罪了這位「芳鄰」？於是到姑婆靈前許願，要用竹子和茅草爲她蓋新宮。請她保祐全家大小平安。許過願回到家，家人的怪病果眞不藥而癒了。

組頭巧中大家樂

用竹子和茅草蓋的家，總是無法維持多久，很快的敬姑婆的家又殘破不堪。

草仔埔（地名）有個賣藥的，村民不知他是何姓名。他總是提著各式中藥、西藥、偏方、不知名的藥，到各農村兜售，有時也做「大家樂」組頭。他除了當組頭，更熱中於簽賭。

那一天，這賣藥仔組頭到溪洲村賣藥，村西附近居民正在討論家廟重建的問題。大家一致認為要蓋一間牢靠些的，最好是鋼筋水泥或磚石砌成的，可以維持久些。只是這筆建築經費不是小數目，村民大都種田維生，恐怕一時之間也湊不出來。眾人正在討論，賣藥仔組頭聽了，說──

「如果讓我中『大家樂』，還怕沒有？」

村民知道這人的虛實，也不抱太大希望。反而這人聽說「敬姑婆蠻靈驗的，便到東後寮（是緊鄰溪洲的一個較大村子），找來乩童洪天送「問神」。鬧過一陣子，過幾天簽「大家樂」，開獎時果真中了個大彩。對神明說的話是不能反悔的，他也眞的捐了一些錢，做為建家廟之用。

守護神竟爭地盤

一般職業性廟祝看守寺廟神壇，是要領薪水的，甚至藉此斂財騙色的，也時有所聞。水音伯看守家廟，完全出於善心，是義務無酬的。定要問及原因，只能說他與敬姑婆比較有緣。

在現今磚造新屋，要蓋未蓋之際，水音伯出錢出力，運用眾村民募捐的善款，集資興建，在動土之前，事情起了波折。原溪洲村有位守護村神，即今被請入「鳳山宮」（位於村子東南方之廟宇）的衆神之一，祂不願村民爲「敬姑婆」留一塊「地盤」，想要將她趕出溪洲村。遂爆發一場「地盤之爭」。

敬姑婆因無後代，把家產祖地捐出公用，即今之「西南小園」。她在此守護祖業三百年，怎肯說走就走？又村神不讓她在此居住，叫她往那裡去？

這裡是她的家啊！怎可要她離去？最後在諸神的調停排解，以及她據理力爭之下，得以繼續守護她的家園。像她這樣正派的神祇，是不會向任何勢力屈服的。

於家廟建造即將完工前夕，敬姑婆曾帶著兩位侍女，向水音伯託夢，似在對他道謝。村民都相信敬姑婆神靈，能保祐地方平安，風調雨順，農產豐收。偶有捐獻香油錢的，水音伯也都一一記錄帳簿，確實用於祭祀用度。

神正人善彰懿德

台灣民間廟宇，以「福德正神」、「××王爺」數目最多。敬姑婆在村民心目中，不僅是「正神」，也是「守護神」，平日孩童遊戲，誤入家廟玩耍，她從不生氣，可知他是個極和善的神。

她雖不像某些嚴肅、兇悍的神，給人嚴厲的災戒；卻有時喜歡向她選中的「有緣人」開開小玩笑。

新營地區，有個出租卡車供人運西瓜的車行老闆，名叫陳慶福。慶福之妻，有一次騎機車到溪洲村接洽事務。一般說來，機車車胎若沒有充氣，便會停下無法前進。可是，當她騎車入村時，村人告訴她——妳的車輛一點氣也沒有，怎麼還能走？——她才停下來，果然車輪扁扁的，沒有一點氣，卻還能像平常一樣走動。她覺得奇怪，喃喃自問，世界上怎麼會有這樣的怪事？

第二次，慶福之妻又騎機車到村裡洽事。這次不是車胎沒氣，而是機車定在地上一動也不動。找來修車老闆檢查一番，說沒有故障，只是那車不知爲何，就是定在地上不動。

她後來打聽，溪洲村西有位愛開玩笑的姑婆。即刻備妥鮮花素果，到姑婆靈前祭一祭。從此在她身上一些奇奇怪怪的事不再發生。

有人猜測敬姑婆，之所以被如此稱呼，是姑婆丈夫名叫敬。按台灣習俗，年紀老大尚未出嫁的小姐爲「老姑婆」。依我推測，敬姑婆可能未曾結過婚。單名敬，因此後輩晚生，無論有無親戚關係，都一致尊稱她爲敬姑婆。

溪洲村的敬姑婆，或許沒有救苦救難觀世音菩薩那麼偉大，但她對村民而言，卻更親切、可愛。

我在此爲文紀念「敬姑婆」，並非想藉她的事跡來妖言惑衆，只期盼這個民間傳奇故事不會失傳。提醒國人，在受西方科技文明洗禮之餘，不忘「舉頭三尺有神明」的古訓，做一個奉公守法、心中常存善念的正派人士。

（八十年六月十八、十九日立報）

「溪洲龜」多樣情

當全台灣的兒童爲「忍者龜」瘋狂時，我的杰兒也不例外。於是，我只好扮演「孝子」。爲他買一系列的「忍者龜」衣服、玩具、錄影帶……。然而不管忍者龜的名氣多麼響亮，我還是不喜歡那種咬牙切齒、好勇鬥狠、怒目瞪人的造型。依舊比較喜愛養在我家陽台，那隻「溪洲龜」。它總是步履穩健，一點兒也不急躁，這般威儀的烏龜，正合我意。

這隻烏龜是有來歷的，那天，回家鄉溪洲村，要接寄托在娘家的杰兒回台北。母親對我說，希望我常常出國。原來，只要我出國，他們就可以和杰生活在一起。村子裡的大人、小孩，有了杰，也增添不少樂趣。尤其是開雜貨店慶順伯，更捨不得杰兒走。當我在村子的公車站，等新營客運時，遠遠看見慶順伯手上提了一個東西，跑過來。

這東西不是別的，竟是一隻活的大烏龜！慶順伯滿腳都是泥，兩雙褲管捲在大腿上。他把小網袋裡的烏龜，拿到杰面前，蹲下身來，對杰說——

「你看，伯公跟人去溪裡網魚，網到一隻忍者龜，給你拿回去台北玩。……拿去！」

杰雖貪玩，卻一向膽子小。看到活的烏龜，不免向後退了幾步，連說「怕怕，……」還邊拍胸脯。

慶順伯看他害怕的樣子，樂得哈哈笑，愈發逗他玩說：「給你咬，給你咬……」。看得站在一旁抽煙的父親，也笑得丟掉煙，說，有夠無膽，烏龜是金嘴，不會咬人啦！……我來提，到了新營上火車後，再吊在座位上好了。

等到上了火車，杰兒卻不怕烏龜，而堅持自己拿著小網袋，一直到睡著了，還不肯放手。四個小時的行程，抱著睡了的小孩，腦子裡不習慣空白，胡思亂想了幾回，決定給這隻烏龜取名字。原先想叫慶順伯龜，後來想改成慶順伯公龜，最後決定，還是叫溪洲龜比較簡單、科學。

火車愈走愈快，家鄉愈離愈遠，心疼熟睡中的杰，看著他緊緊握住的小手，我問自己，這隻有力的小手，緊緊握住的，難道只是裝著烏龜的小網袋嗎？如果是，我又何必承受這份任何一隻烏龜載不起的鄉愁！溪洲龜到台北後，被我分派到陽台，充當衆花的「護花使者」，使者當然是行動自由的。蜜兒是在都市長大的少女，她看到這隻眞正的活烏龜，嚇得兩眼發直，好幾天不敢開陽台的門。

有一天，我聽到杰對蜜兒說：「姊姊，伯公的烏龜不見了，怎麼辦？糟糕喔！」姊弟倆在陽台找了半天，找不著。我加進去一起找，仍舊不見龜影。

把一隻鄉下龜帶到都市來，是何等殘酷啊！現在它走失了，成爲「都市迷龜」，會不會有人收留它？我爲龜的前途擔心，也自責不該放任杰兒玩弄生靈。爲一時好玩，便自私地不管這隻烏龜的生存，妄自把它帶來，釀成龜失人不安的事來。

前年在忠孝東路買的巴西小烏龜，也走失過，我總覺得它那麼小，那麼機靈，死不了的。如今溪洲烏龜，那麼大又那麼笨，叫我怎麼不擔心？

想起溪洲烏龜，就想起溪洲村的人。試想，當一個又土、又笨、又善良的鄉下人，在台北都會迷路了，是件多麼危險的事。假使這個人是慶順伯，他聽不懂國語，也不知道很多壞人是很斯文的，萬一被騙遇害了……。這樣的聯想，惹得我心慌意亂，心裡突然有一個希望—要是溪洲龜和忍者龜一樣孔武有力，我就不必有罪惡感，也不用替它擔心了。

俗話說：傻人有傻福，沒想到傻龜也是。

前天晚上，有人按門鈴，我開門一看。是三樓的張先生，手上捧著一個臉盆，裡面正是從我家陽台，失足掉到三樓的傻溪洲龜，杰兒看到龜被送回來，高興得跑去拿青菜，要餵它吃。蜜兒看到失而復得的龜，也很高興，沒有再被嚇著了，趕緊跑去開陽台的門，並建議我把陽台的欄杆補高，漏空處塡滿，免得牠日後再掉下去。

看著在花間漫步的龜，傻乎乎地眨著笨眼。我慶幸著，台北人並不全像媒體誇張報導的那麼壞，那麼冷酷。

眞好，感謝上蒼，讓我知道台北還有會把走失的龜送回的好人。

（八十年一月十二日立報）

「鐵齒」與小廟

父親是個「鐵齒」（台語）的人，從不忌諱人們所認爲邪門的事，也不逢迎任何神明，只顧平平實實地，過他適意淡然的村居生活。

三五年前，村子裡「土地重劃」，產生一小塊公家的「餘地」，這塊地公開標售，卻乏人問津，因爲有一間半塊塌塌米大，要倒不倒的小廟在田地上，人們怕這廟裡鬼神作怪，都不敢去冒這個險。主管出售公地事務的人，素來知道我父的百無禁忌，便來探問願不願買？父親想，好好的一塊地，不耕種任其荒廢，也不是個道理。就答應了下來，買了這塊村民口中的「廟仔地」，並在上面種水稻。

水稻種下，還未收成。有一天，三姊很奇怪地得了查不出原因的病，村子裡的人都勸父親，不要「鐵齒」，趕快挑「兩葷一素的菜，到廟仔去拜一拜就好了。」父親很有定見，一點也不爲流言所動，依然堅信他的「良心」哲學。認爲既然沒有做出虧心事，又何必去迷信，人云亦云地亂拜鬼神？他說，那個蓋這間廟仔的人，自己不來拜，我沒有把它拆掉，已經很對得起村子裡的「善男信女」了，要拜他們自己去拜，我是不會拜的。父親「不拜」的心情我是能夠體會的，因爲阿公是虔誠的基督徒，在逝世前的遺言上寫著，希望整個家族的人，都能繼續堅定信仰，並守聖經裡的「十誡」。

大姊看三姊的病老是察不出病因，便建議父親，依照熱心村民的方法，拿三姊的衣服去讓法師做法，也許，病就眞的好了，父親聽大姊這麼提議，很不高興地回了一句——會死，就放著讓她死，這種事萬萬做不得，大姊懾於父威，心裡急，她不敢有所行動。我則主張有病應該找醫生，西醫看不好有中醫，如果沒有醫生能夠治，那也是命該如此。

當村子裡的人都認爲，是廟仔裡的神，在搞我們家的「鬼」時，父親被這些言語所激怒，一氣之下，拿了一把大鋤頭，將那間要倒不倒的廟仔鏟平。村民都害怕，有燒香的，有磕頭的，有念佛的。還好，什麼被預料會發生的禍事都沒發生，巧的是，三姊的病倒是在這個時候，被一位老中醫師診斷出，是胃的問題，對症下藥，病情明顯好轉。

這件事後，我更加佩服父親不受流言愚弄的智慧。可是有一件事我實在想不明白，父親也是個人哪，他眞的不怕鬼神，於是我便問：「爸爸，萬一你在把廟仔推倒時，發生什麼恐怖的報應，你難道一點也不怕嗎？」父親回答說：「這小小的廟仔，已經很久沒有人拜，裡面空空的什麼也沒有。就算有鬼，也早搬家了？人有人的世界，鬼有鬼的去處，只要不去招惹祂，祂在祂的家好好的，怎麼會來管我們「人」的閒事，有些人，看準人們心理的軟弱，藉機會騙錢，我才不會上當呢！」

聽完父親這番話，我心裡很高興。因爲他不僅是個村民眼中「鐵齒」的人，更是我心目中，既明智又勇敢的父親。

（八十年一月二十四日立報）

喝杯酒，免生閒氣

一

俗語勸人：「少喝酒，免誤事。」

家父卻一直抱著「常喝酒，免生氣。」的處世哲學。

在溪洲村種稻之餘，父親懂得用酒來豐富生命；晚餐之前必定先喝一碗酒，再吃飯。童年時代，家裡姊妹多，開銷大，父親想喝酒時，只能叫我到慶順伯家的雜貨店，買最便宜的米酒頭，回家配花生米。慢慢地經濟好轉，才改喝雙鹿五加皮、蔘茸酒、高粱酒……等酒。

我是屘女，一向得寵，所以習慣搶食他碗內的東西，認爲父親吃的一定美味。由於好奇心吧！有一次要求喝一口父親喝的，看起來像開水一樣沒有顏色的酒。誰知，被嗆得眼淚直流，眼睛一時之間，張都張不開。當時，眞覺得奇怪，這又苦又澀的怪「水」，大人爲什麼那麼喜歡？

那天中午，母親又爲一些事情與父親爭吵，父親不想說話，乾脆把整瓶酒喝完。他，漲紅著臉，叫我再去買酒。是我應該去的，但，我不喜歡看他們爭吵，一向乖順的我，不知那裡來的膽子，拒絕去買酒，並對父親說：「喝尿啦！」父親一聽，作勢要打我，姊姊們和媽媽也怕我被打，一直叫我快向父親道歉，而我硬是吐不出一個字。最後，父親好像酒醉（其實是假裝喝醉），也不執意打我，逕自躺到床上，呼睡了事。

二

從不曾覺得：酒，竟是這麼甘美，自從那一夜宿醉。

那是一種名叫「桂花」的酒。香氣誘使你沒有理由拒絕，既喝了一杯，自然要喝第二杯……於是，當我抹抹嘴，眼前人影搖晃，數不清空瓶子時，朋友便笑著對我說：「哈……你醉了。」

醉了？……

等我吐出嘴裡的烏梅子，說：「醉了，好！我喜歡，眞的醉了才好。」接著，又有人告訴我：「你眞的醉了。」我總會一個字一個字告訴他們：「還沒喝酒時，我一直是醉著的，喝了酒，現在正清醒著呢！」

朋友們哈哈大笑，以爲我在說醉話。

三

昔日溪洲村不願爲父親買酒的小女孩，如今竟也愛酒。紹興、白乾、竹葉青……只要有酒味的都行，但，一定得倒在碗裡，像父親一樣先呼一口氣，再喝下那酒。

爲什麼要先呼一口氣？

起初只是下意識的有樣學樣，後來由於居台北有太多實習的機會，慢慢從中體會這「一口氣」的效用，才知道原來喝酒的步驟是大有學問。這「一口氣」並不是隨便亂呼的。當呼這口氣時，所有怨怒、不安、憂慮及尙待平衡的情緒，全都跟著這口氣，給呼出去了。等酒喝下必然通體舒暢，將生活中不快樂的記憶，化隨酒精，發散於無形。

想想，除了酒，誰能回歸我於寧靜安適的愉悅心情？

四

三國時代，文學史上的「竹林七賢」，常聚在山陽的竹林中暢飲，其中阮籍不僅好喝酒，更能用酒做工具。

根據歷史記載，當時司馬昭想爲兒子司馬炎（即後來的晉武帝），娶阮籍的女兒。他爲了逃避這門婚事，大醉六十天，不給司馬昭爲子求婚說話的機會，使得司馬昭最後只好斷此念頭。又有好幾次，鍾會以時事相問，預備套他的口氣來陷害他，阮籍也用醉酒來對應，使鍾會的計謀終不能得逞。

文壇先進如高陽、吳東權、鍾雷（翟君石）……諸先生都是善於品酒的雅士。據說，某些文友還號稱「高粱小組」「紹興話梅派」……眞可與「竹林七賢」媲美。不知衆雅士酒友，在飲酒之前，是否「先呼一口氣」再喝？

父親非文人雅士，只是溪洲村一個農人，雖無飲酒作詩之風雅，卻也藉酒，抵擋了母親的嘮叨，並排除諸多煩擾不順之事，得以安享他「日出而作、日落而息」的生活。或者，此刻他正倒了一碗酒，勸他的朋友，說：「來，喝杯酒，免生閒氣。」

（八十年十二月十八日立報）

牛屎婆的女兒

二十年前，農村裡用牛耕作還很普遍。母親爲了讓田裡的作物生長碩實，每天利用餘暇，繞村路撿拾牛糞。村子裡的人，但見她得空便肩起鋤頭畚箕，尋找牛糞，就叫她牛屎婆。遇著有人不認識我的，他們會向那人介紹我說，哦，那女孩子—是牛屎婆的女兒，豬尾仔（指么兒）啦！

我雖年幼不經事，卻不喜歡這樣的介紹詞，總是故作沒聽見地跑開。

甫上小學一年級，母親常到教室外面，偷偷地探望我上課的情形。我不願同學們看到她來，又不能叫她不要來，所以常悶悶不樂。

有一回，母親又到學校窺探，天氣突然變冷，我沒穿外套，禁不住寒，直打顫。母親看在眼裡，疼在心裡，趕緊回家拿了一件外套，在教室窗外向我招手，示意我過去拿外套穿。老師在講台上講課，我要求窗戶旁的同學把我的外套傳過來。我拿了外套，就是不肯穿。母親站在窗外許久，見我遲遲不穿外套，心裡急，又向我作手勢。可是我幼年不懂事的虛榮心作祟，寧可受凍，就是不肯把那一件，歷經大姊、二姊、三姊穿過的「古董」外套穿上；即使它每一個破洞都補得很仔細，也洗得很乾淨。

老師發現我不理會母親，就走到我身邊，小聲對我說：「把外套穿上！」在老師的命令下，我勉強把外套穿上。心裡卻覺得很不是滋味，懊惱母親不該多事，當時我因爲自己考試成績都在前三名，被師長誇讚爲最聰明的學生之一，就以爲自己多麼了不起，怕穿不體面的衣服，被同學笑話，被老師看輕。

母親看我穿上（衣服）後，就放心的走了。母親一走，我趁老師不注意時，又把外套脫掉，只留下那件不太舊的短衫在身上，繼續打顫。我的級任老師黃惠亮女士，也是細心的人，她發現我把外套脫掉，還在發抖，就在講台上大聲地對我說：「柯玉雪，快把衣服穿上，不要逞強！」

小學一年級的我，聽到老師這樣的話，好難過。暗自哀傷，爲何沒有人體諒我的心情，我不要穿姊姊們穿過的舊衣服，也不想同學們笑話我呀！

現在已成年，想想那時的「穿舊衣情（心）結」，才知道自己有多麼愚蠢、不懂事！尤其，當我的兒子和我有一樣的毛病——喜歡穿新衣，給他粗糙些的食物，他就寧可挨餓，也不沾一口——時，我才體會（知道）出我的任性，是多麼傷母親的心啊！如今被任性的兒子折磨，難道不是罪有應得的報應？

養兒方知父母恩哪！

如果，我當年不要那麼任性，想必不會，生下一個任性的兒子來吧。

母親原是好人家的千金小姐，日據時代，唸了幾年日本書，就休學在家陪外婆；因外公早亡，外婆獨立掌管一大片產業，包括農田、豬舍、漁塭……正好可以幫忙。嚴格說起來，母親是么女兒，被外婆寵著，實際上並沒能幫外婆什麼忙，主要是給她精神上的安慰。

一個原先什麼事都不操心的女孩，個性剛直不阿，不會在公婆面前甜言蜜語，也不會在妯娌之間婉轉圓滑，這樣的千金小姐，嫁到農村大家庭裡，註定要吃苦受罪的了。

我善良的母親，正是如此。

母親在娘家，過慣了衣食不愁的好日子，整天除了陪伴外婆，唯一的工作就是牽兩隻小羊去吃草。這能算工作嗎？那兩隻小羊不是養來賣錢，而是外婆特地買給母親，養著好玩的。

嫁給父親後，兩隻小羊也牽過來，可是她的生活完全走樣了。尤其是她一連生了五個女兒，連一個兒子也沒有，在那個重男輕女的時代，更增加她受困於婚姻的痛楚。她沒有爲我們柯家的二房（父親是次子），生下一個男孩，就好像犯下不可原諒的滔天大罪似的，不得公婆歡心。加上大伯母是從苦家庭出身的，高大強悍，會辦事，懂得人際間如何周旋，常常把母親逼得委屈不已。

她當然也可以不要在夾縫中求生存，然而爲了我們姊妹，她不忍心一走了之，只有承受一切的磨難。

二姊告訴我。有一天有個好心的鄰居告訴她，某日，柯家的衆媳婦們，在田間操作農事，大伯母把母親推倒在地上，當馬騎，並說出類似：「我就是要拿你當馬騎，你敢怎麼樣！」的話來，衆人都怕她，也不敢言語……

類似這樣的話，我聽在耳裡，記在心裡。

去年，阿公的告別禮拜結束後，棺木要被運走時，母親不知情，還趴在棺木上哭泣。大伯母見狀，便厲聲叱斥地對母吼道：「走開啦！人家要推走了，你還擋在那兒！」我在一旁，趕忙跑過去，把母親拉到身邊。對母親說：「媽！不要哭，阿公最疼的人（指大伯母），都不哭了，你還哭什麼？」對於這一幕，我看在眼裡，也記在心裡了。

我的母親不受人尊重，難道不是我的沒出息嗎？我深思……

有一回，我的兒子淘氣不受教，我見他任性，怕他日後在社會上無法生存，便痛打他，希望他記住教訓，明白道理，他被我打得哭聲不止，我忍不住心疼，自己也哭起來。黃河一旦潰決，豈是一升一斗了得。

哭啊！我哭，把所有在失敗的過去中，所受的悶氣，一股勁兒哭將出來。兒子看到我哭得比他傷心，就不哭了，反倒對我大聲喝止道——

不要哭！

聽了兒子這句話，我馬上不哭，並發現兒子無比堅強，倒使我受教了。不管我們處在什麼環境，哭都是無濟於事，也解決不了任何問題的愚行，這種舉止，只有叫人更加瞧不起啊！

拭去淚，我們還有很多重要的事要做。

如果我們不拭去淚，只有繼續忍受恥辱，繼續遭受壓迫，繼續讓母親受人輕視，兒子遭人冷落的份哪！

在磨難打擊中，即使是繞指柔，也不得不化成百鍊鋼啊！試問，當我們的善良，變成增加他人邪惡之因素時，這還能算善良嗎？要算是的話，也只能是無知的愚善。

母親從婚後起，一直是個悲劇角色，我能再淪爲悲劇主角，或陷我兒於悲劇中，來增加她的苦楚嗎？

十年前，我是個滿腹理想的完美主義者，我獨立謀生求學，爲著那幾乎達不到的所謂「理想」而奮鬥。母親知道我的理想很不切實際，卻總是支持我，鼓勵我，希望我有所成就。每次我回家時，就一千塊，兩千塊的偷偷往我的旅行袋塞。現在我結婚了，母親到過我夫家，知道我的情況，每當我帶著兒子回娘家，她還是一千塊，兩千塊地要往我兒子口袋裡塞。

當然，我堅持把錢還給她。

一個女兒嫁了人，還讓自己的母親牽掛，要塞錢給予資助，無法叫母親放心，豈不是太違背孝道了嗎？爲此，我深深自責，並時時警惕自己，要努力做到令母親放心的程度。

我已成年，沒有能力每個月寄錢奉養母親，已經很不對了，怎麼可以再拿母親的錢？況且，母親的錢，是天天到村子附近的養雞場，忍受雞屎臭氣，辛苦掙來的。每當午夜，想起母親在養雞場，清洗雞舍，掃除雞糞的樣子，我就不敢多睡，起身發奮寫稿，希望有一天，有那個能力，敢開口叫母親不要再到雞舍上班。

村子裡現在幾乎沒有人養牛，母親也早就不撿牛糞了。村子裡的人，也許早都忘記，母親有過「

牛屎婆」這個綽號，但我永遠也不會忘了，自己曾經是牛屎婆的女兒。

面子重要，裡子更重要。

不管母親在他人眼中是什麼婆，她永遠是我最善良、仁慈、有骨格的好母親。任何外在環境給她的種種難堪，只有更突顯她人格的高貴，並增加我對她的尊敬。

古詩人但丁(Altghieri Dante) 有句名言，說：

「世界上有一種最美的聲音，那便是母親的呼喚。」

是啊！世界上有什麼樣的聲音，比母親叫我的那一聲「豬尾仔」，還要美的呢？

（七十九年十一月廿三日立報）

火車種種

鄉下或沒有搭過火車小孩，搭火車是件很有趣的事。我長在鄉下，第一次搭火車非常興奮，連火車上的便當，都覺得特別好吃。現在吃起來實在不怎麼樣。偶而，我帶二姊的四歲兒子回外婆家，在家哄他吃飯好像要他的命，在火車上，卻吃得很有勁。

昨天，我去台中探望大姊，搭十六時三十七分自強號，鄰坐是個法國佬。從台北到台中，他一直盯窗外「一路夕陽半天紅，孤禽閒雲映山頭」的美景。可惜有屋子的地方卻「家家鐵窗鋼條門」全副武裝的防備，就大煞了風景！建築物上滿貼著搬家、指壓……等廣告，亂成一堆，更令人作嘔。我駭然發現我們的居住環境，竟是如此光景。同車廂一個小孩跟著錄音帶，哼唱著流行歌曲，唱到愛國歌曲時，他卻不跟著唱了，不管他是不愛唱或者不會唱，都是另一悲哀！

音樂停住，小姐廣播說「……各位旅客！爲了淨化車廂裡的空氣，本列車除了第一、第五列車，其他車廂的旅客，請您不要吸煙。如果您要吸，請到車廂與車廂之間的走道上去吸，並請將煙蒂投入車門旁邊的煙灰盒裡，謝謝您合作」。過會兒又說：「……請把垃圾放進垃圾袋內，……請管教好自己的小孩，不要大聲吵鬧，以免妨礙鄰座的安寧……」。當然，廣播小姐也說了一些「歡迎光臨之類」的話。坐在旁邊的法國佬，大概聽「她」說那麼多又不懂她說什麼，好奇之下便很有禮貌地問我—Excuse me I would you mind tell me what's she said ？—我也很熱心地答—Course not! —正要告訴他我聽到的廣播內容，忽然想到，如果讓外國人知道剛剛廣播的那些話，不是等於告訴他，我國的人都不守規矩，不理會「禁止吸煙」的告示，不曉得煙蒂垃圾應該放在那裡，不懂得管教好自己的小孩……還要利用廣播來告誡大家，提醒大家該怎麼做……不行！這話不能全部說給他聽，於是我腦子一轉，便告訴那法國佬說廣播是說歡迎惠顧，車廂後備有茶水，和報告一些值得觀光的遊覽勝地……。

到了姊姊家，一位我不太認識的太太來串門子，大家不知怎麼談到火車，她說：「妳還敢搭火車呀！其實那是電車啊！我先生是學電機的，他告訴過我，有一個日本技師跟他說，台灣的火車不能坐，一旦漏電，全部的人都會燒成黑炭，要跳車都來不及！」照這種說法，全世界沒有一個地方是安全的了。在最安全的房子裡，保不定飛機掉下來，把屋子撞毀，把人撞死。我很懷疑她這種大驚小怪的說法！她還問我是否常搭火車？我答「是」。她便很熱心地教我一個省錢妙法—

她說：「上車時不要買票，如果遇到查票員，不管從那一站上的，都說是在前一站。到達要下的站，如果沒有遇上查票的，補票時，就騙他是在前一站上的，這樣你坐了十站仍只付一站的錢……」我聽了能說什麼？暗暗心痛！竟然有人存這種想法？我寧可認定這樣作的人是爲了好玩。否則這種行爲和小偷，有什麼差別？

搭火車也好，搭電車也罷！應該都是很有趣的活動，如果懷有恐懼感，不妨改搭別種車。要是存心坐霸王車，「夜路走多了，遲早會撞見鬼的」。

我搭火車的次數已經數不清了，然而我最懷念的是第一次在火車上吃便當。

（七十五年十一月十日民眾日報）

古厝遇鬼記

最近，我幾乎夜夜夢到家鄉的古厝。而那屬於童年發生的故事，就這樣，一遍又一遍的，教我魂牽夢縈……

五叔公的古厝，是曾祖時代用土蓋成的，台語叫「土角厝」。從窗戶看進去，裡面的床、桌椅等擺設俱全，就是不知道爲什麼不住人。

那時，我還是個未入學的小孩，鄉下農村裡沒有什麼好玩的，總是充分利用周圍的環境玩耍，土角厝的土牆，很自然的就變成我和玩伴們的「遊戲場」了。

那時，我們常玩的遊戲是「捕蜂」。古厝並不是用來養蜂的，但因爲久不住人，就變成了蜂兒的「家」。這是一種身體和翅膀都比蜜蜂還要瘦小的蜂，牠們的顏色，可以說是光彩而多變化的，有時看起來亮紫，有時看起來螢青，有時卻又是黝黑、墨綠。大夥兒都不知道那是什麼蜂，就只管稱牠們「蜂仔」。

蜂仔在土角厝的土牆上挖洞居住，整個牆面，都被牠們的家，裝點成密密麻麻的一片，像筆芯一般大小的洞，局部看來，很有幾分像鬆軟的「馬拉糕」。

蜂仔喜歡在黃昏的時候飛進飛出，也許是覓食回家，也許是在嬉玩，利用這個時候捕捉牠們，是最好不過了。那時，村裡的小孩，每人拿一個用針戳過小孔的塑膠袋，和盛裝感冒糖漿的空瓶子，把瓶口對準洞口，只要蜂仔一出洞，就會被逮個正著，然後將之倒入塑膠袋內。我們叫這種遊戲是「等（音登）蜂仔」，誰抓到的蜂仔愈多，就愈神氣。

有一天，大夥兒照樣在玩「等蜂仔」，玩伴一個個被家人叫回家吃飯，最後只剩下我一個。此時，天上的星星出來了，氣溫也涼了下來，突然，我看到土角厝裡面有一個男人—一個既英俊又年輕的男人。

那個男人坐在床上，眼睛死死的，不知盯著什麼看。看了一會兒，即緊緊閉上眼睛、搖搖頭，發出一種近似嗚咽的嘆息。我不禁猜想，這個陌生人會是誰呢？

正想去問他，不料，他突然站了起來，臉上的五官開始變形，很快的，竟變成一個老頭子—那長相還眞像五叔公哩！

接著，我看見他，撲倒在床上，兩手抱著頭，好像有千萬隻蜜蜂螫著他似的痛苦，他開始掙扎、吼叫，狂亂的揮動手腳。我駭怕極了，想逃，卻整個人像被釘在地上一樣，無論如何用力，都動彈不得。我又急又怕，要哭卻哭不出來，要叫也叫不出聲，終於支持不住，嚇昏了過去。

等我再睜開眼睛，發現自己滿頭大汗的躺在自己的床上。

爸爸叫著我的小名說：「豬尾仔，先把這碗紅糖薑汁喝了，我已經叫你媽去幫你煮細麵給你吃了。」

我聽後，乖乖的喝著那碗薑汁，覺得味道好怪，就說：「爸爸，這不是薑汁。」

爸爸說：「不同的薑嘛！」後來我才知道，那是藥，爸爸故意說是薑汁。

「爸，我在土角厝裡看到一個像是瘋子的男子哦！」於是，我把剛才所看見的情形告訴爸爸。爸爸聽完後說：「那是你做的惡夢啦！不要再胡說，根本沒有什麼瘋子。」

從此以後，爸媽就不准我再去土角厝「等蜂仔」，天一黑後，更不准隨便出門。

長大後，我才知道，古厝原是五叔公的大兒子和媳婦住的房子。他那大兒子因爲不能與心愛的人結合，就鬱鬱寡歡，精神不正常起來，後來娶了太太後，新婚太太又與他不合，爲了賭氣，他喝了農藥自殺，死在這屋子裡，從此古厝常鬧鬼。不久，他太太也跟人跑了，再也沒有回來過。

也有人說：五叔公的兒子，是發現妻子與人苟合，一怒之下，與奸夫打架，結果，反被對方，灌毒藥害死。

五叔公則說：他兒子是害肝病又不肯接受治療，才病死的。

「土角厝」如今已被拆掉了，蜂仔的家也沒了。我想，那些蜂仔一定還會另外找土堆，重建新家。而童年這一段難忘的記憶，也始終鮮活的縈繞在我的腦海裡。

（七十七年十二月十一日大華晚報）

阿公的秘密

三姊打電話來說：「阿公這次恐怕眞的會死……。」「爸媽日夜看守，累得快成人乾了……。」放下聽筒，我當下決定收拾行囊，回家助父親一臂之力。

認眞講起來，阿公有六兒四女，再怎麼樣也輪不到我，這個已出嫁的孫女來服侍病榻。但是阿公九十四高齡，身子好好壞壞已經十多年了，家人在經過無數「虛驚」以後，對他的病幾乎「疲掉」了。奶奶別世後，阿公便由六個兒子輪番照料生活起居，每人「吃」三十天。這個月「吃」到二房我父親，病情又嚴重起來，父親膝下無兒，自然得由女兒分憂解勞。

父親天天請醫生來爲阿公打針，醫生說，打針只是減輕一點痛苦而已，內臟、器官沒有一個好的，沒幾天可活了。親戚們七嘴八舌，議論著怎麼不送醫院。我也納悶不解，去問父親。才知道，阿公有回重病送到醫院，到了半夜竟哀哀大叫，說有鬼在捉弄他，直嚷著要回家，從此阿公再也不敢踏進醫院一步。

有時候，他會對身邊的人說，院子裡好多人聚集在一起唱聖詩，可是在場的人都沒聽到，也沒看到有人在院子裡唱詩。……諸如此類的怪事叫人聽起來，不禁懷疑他老人家是不是神智糊塗了。

阿公的兒子中，四叔、五叔、六叔在外地謀生，大伯、父親和三叔在家鄉種田。雖然叔叔伯伯們都知道阿公又發病，因爲不是「吃」到他們，他們當然可堂而皇之的，利用工作之餘來探望或輪守一下即可，而父親卻是全天候的。一連幾天來，父親已經連續好幾個晚上沒睡，情緒不好，尤其看到弟兄們都走開，留下他一個人看守垂死的阿公，他便偷偷掉淚。

父親年近花甲，而對阿公病體腫脹，全然無法行動，扶他喝水，已屬吃力，更何況排尿，擦身子……等大「工程」，非要兩三個大男人合力攙扶才成。想到父親的困境，看到他又瘦又乾又疲倦的身子，捲在竹椅子上哭泣，我於心何忍。三姊和我，不禁自恨不爲男兒身，好多替父親分擔些工作，給他安全感。

姊妹倆擔心再這樣下去，父親會走在阿公前面死去，當下商議，背著父親電召大姊、二姊也放下工作回來支援，希望四姊妹同心協力，分憂解勞，多給父親一點安慰。

有天晚上，大伯母在她房裡隔著紗窗，向父親大聲吼叫，言語犀利，咄咄逼人。細聽之下才知道，起先是大伯母在村子裡對人抱怨說，阿公這個月「吃」到父親，理應由二房全權負責，卻讓大伯父整晚不睡的看護病人……。父親聽了這些話，認爲她不該既不肯出力，又向外人說風涼話去……。就這麼些閒話，傳來傳去，沒完沒了。

事實上，大伯母以前有過盛冷飯給阿公吃的不良紀錄，衆親友早已對她沒有善盡孝媳的本分，有所耳聞。如今老人家重病在臥，她爲什麼還要吵架？難道她不知道大夥兒正在怪她，沒有盡地主之誼，接待前來探病的親友便餐。而任二房挺著看護病人的疲累之身，去張羅招待吃食的事宜？記得公廳門板上有句對聯是「柯家子弟溫和氣，滿門和諧敬遜謙。」字跡雖模糊，卻依稀可見。阿公寫了這句話，用來訓誡子孫，他一定不喜歡子孫爭吵吧！想到這裡我忙去勸父親，放寬心不要理會那無聊的叫罵。幸好阿公患了老年重聽，應該沒聽大伯母—他最疼愛的媳婦的吵鬧聲，否則對他老人家太殘酷了。

在一個不期然的情境下，我發現阿公一生中，一直良心難安的秘密。那天，我端了果汁，到阿公房門口，只有父親一人在旁。我才要推紗門進入，卻看到阿公正拉緊父親的手，向他說——「宗仔，你一定要原諒我，這件事只有你知道。」「阿爹什麼事？」「貞仔（大伯母）初嫁來時，我怕你阿兄身體不好，長得醜，她在我家待不下。不僅你阿兄以後娶不到牽手，我們家也沒面子。所以處處袒護她，拿公錢給她藏私房，把最好的房產，最肥沃的田地分給她，我實在……」「阿爹，別說了。」「還有，你年青時做工賺的錢都歸公，我卻因為你沒有兒子，而分給你最差的田產，害你變成兄弟中日子過得最苦的一個，我實在對不起你。」「事情都過去了，我怪你有什麼用？」「現在你自己買一小塊地，還要繳貸款，錢一定都不夠用。我還藏了一些錢，在床底下……，喔，不是，是在衣服口袋裡……。好像也不是……。大概在床底下，你去找出來，拿去用吧！」「會的，你放心。」

我聽說年紀大的人，不管有沒有錢，都會幻想自己在某處藏了很多錢。而希望用這筆錢，來彌補自己曾經做過的錯事，以求能心安理得的離開人世。阿公不知是否也是這種心理作用，才向父親說那些請求原諒的話。

老人家死後，柯家辦了一場熱鬧風光，歡樂強過哀傷的喪禮。當棺木即將入土，我趁別人不注意時，偷偷地對阿公小聲說：「對不起，阿公，我不小心聽到你的秘密。不過你放心，我保證不會告訴任何人，一定替你保密，請安息吧！」

（七十九年六月十日立報）

德伯母

德伯母很喜歡父親。爲了這件事，母親很生氣。常常把氣悶在心裡，甚至，氣得拿手搥打牆壁的地步。有一次還異常嚴肅地對我們姊妹「交代遺言」說：「萬一有一天我先死了，妳們絕不能讓妳們爸爸，娶那個查某進門，知道嗎？」

聽了這樣的話，我心頭一驚，事態果眞演變到這麼嚴重的情況了嗎？爲了保護母親的權益，我下決心，對這件事，做一個深入的了解。再看看我該怎麼做，才能幫助母親，又不傷害父親。

首先，我試著與父親溝通，探探他的口氣，看他和德伯母，是否眞的有母親所想像的私情。結果，父親一口就否認這件事。並解釋說：他只是基於幫助亡友之妻的心態，在能力範圍內，給予一點「順水人情」的幫助而已。

聽完父親的說詞，我覺得父親並沒有做錯什麼。德伯父在世時，常常包攬一些建造房舍的工程。父親因爲本身種的田少，必需靠做工才能維持一家六口的生計，所以跟著人家學蓋房子。由於天生機巧，父親很快就學會了砌磚、抹牆、舖瓦……等技術，成爲農村裡所謂蓋房子的師傅。德伯父家與我家，只要走半分鐘就到，父親與他曾經合夥做生意。他知道父親會蓋房子，只要包到工程，一定找父親去做工，增加收入，改善生活。而今，德伯父不在人間，德伯母生活困頓；父親若有人請他去蓋房子，需要附帶小工的，他便找德伯母去。等於回報德伯父，當年給他機會賺錢的恩惠，也是人之常情。

如果眞的這麼單純，母親就大可不必生那麼大的氣。然而事實是不是如此？我爲了確定整個事件的眞實性，便從各個可能的線索，對德伯母的遭遇，深入探查。探查之後才發現，德伯母的苦，已然到了企望死，卻不得死的不堪程度。

人生在世，免不了禍患，德伯母的患難，波折特別多。她自從嫁了德伯父，生下二男一女，女兒自幼身體羸弱，爲了治女兒的病痛（事實上也查不出什麼病來），她除了種田、做工，一大清早就要起來賣菜，籌醫藥費。好不容易把女兒養大嫁人。卻嫁了人，生下兩個小孩後就去世，落得白髮人送黑髮人。

女兒死後不久，德伯父一天清早騎摩托車，到鎭上大菜場，批購蔬菜回村子賣。那天霧很濃，視線不良，才出村口，就被一輛大卡車給撞上，當場死在路邊。剛失去愛女，接連又失去丈夫。德伯母的愁苦、哀情尙不止於此。

按常理，一個女人，有兩個成年兒子，即使沒有丈夫還是可以過安適的生活，可是命運之神對德伯母，一點也不仁慈，不斷加重她的苦楚。兩個兒子中，先說次子，自從結婚生下一女，本身負擔很重，經濟情況不好，自顧不暇，實無餘力奉養她。長子呢，更是叫她頭痛，原先娶了妻，生了兩女一男。後來他迷戀上煙花酒女，婚姻破裂，太太帶著兩個女兒改嫁，他則在外面過浪子的生活。德伯母靠做工賺錢，來養活自己和孫子。長子幾乎都不管她們的死活，倒是離了婚改嫁的媳婦，偶而回來看小孩，會拿一點小錢給她。唉，眞是人世間的大悲劇啊！

人生至此，夫復何言？

德伯母的小孫子，已經上小學，如果能發奮用功給他祖母爭一口氣，那麼德伯母還多少有一點點足以自慰的，偏偏屋漏更遭連夜雨，船遲又遇打頭風。這小男孩，好的不學，盡學些壞的，在學校裡不守規矩，讓老師告到家裡來。三姊告訴我，他偷過她的錢包。

有一回，小男孩失蹤好幾天，不回家。德伯母很著急，也沒個人可以商量，便來問父親，她該怎麼辦？原來這孩子，是偷了村子裡某家人家的一筆錢，怕被人抓去興師問罪，所以躲起來了。

父親只好安慰德伯母說，妳放心，會回來的，錢用完了，肚子一餓，孩子一定會回家。德伯母聽了這話，才定了定心，回家去。回家去做什麼呢？看聖經、禱告。

她除了向上帝禱告，還能做什麼？

她信仰上帝，把自己比喻爲聖經舊約中被上帝「時刻試驗」的約伯。雖然處在淒慘堪哀的環境，她仍堅信「上帝所懲治的人是有福的，所以你不可輕看全能者的管教。」——聖經舊約約伯記第五章第十七節——

上帝是她唯一的依靠，父親只是她亡夫的朋友，她認爲可以信任的一個朋友。

對於這位生活在痛苦中的女性：我們幫助她都來不及，怎忍心再打擊她，給她加上莫須有的罪名呢？

認清了這個悲慘的事實，我們姊妹決定勸母親放寬胸懷，不要多心。即使德伯母眞的很喜歡父親，她是信仰上帝的基督徒，不可能做出踰越本份的事來。

事實上，父親年輕時英俊挺拔，風姿煥發，講話幽默有趣，堪稱村子裡第一美男子，甚得女子仰慕。記得我小時候，就有些女人，爲了找機會跟父親聊天，買零食給我討我歡心，因爲她們知道父親最疼我。

如今父親年老，當年的俊秀不再，德伯母仍喜歡父親，並嚴守朋友的分際，這是非常難能可貴的友情啊！誰又有權利苛責？

（七十九年十月卅一日立報）

鼻樑上的疤

鼻樑上有一道刀疤，對一個小女孩來說，是相當殘酷的。尤其是對一個完美主義的崇尚者，更是莫大的病源。

自從我有意識以來，就得接受「鼻樑上有一道疤」這個事實。這疤讓我自覺不完美，加上本性羞怯，於是在強烈自卑感作祟下，我的童年，少年都在自閉，憂鬱中度過。

高中時代，我自己在外半工半讀。每到一個地方，認識新的同事或朋友，他們注意到我鼻樑上的疤，問起來。我總要重覆一次，家人告訴我的，關於這疤的故事。故事是這樣子的——

在我年幼無知的某日，我三姊拿一把很鋒利，專門用來削甘蔗的那種彎刀。我們家住鄉下農村，種白甘蔗，交給台糖公司製糖，小孩嘴饞，拿幾根來吃也很平常，反正田裡多得是。當三姊正在削甘蔗時，我站在她前面看，她一不小心，刀子離手，飛到我鼻樑，把我的鼻樑弄傷，流的滿地是血。她嚇得哭著跑去躲起來，我只能在那兒哭，等父親發現我，送我去醫院。偏偏不巧那天是星期天，醫院不開門看病。村子裡的「赤腳仙仔」（密醫），也不在，沒有人能幫我把傷口縫合。父親在無可奈何之下，到慶順伯家的雜貨店，買OK絆，幫我貼在傷口。小孩子癒合能力強，沒幾天，傷口就好了，卻因爲沒有縫合，而留下突出皮膚的永久疤痕。

小時候，我很在意這道疤，即使別人根本忽略它的存在，我也無法釋懷。要是有人盯著我看，看得出神。我總會在心裡胡思亂想，認爲這個人是否在取笑我，鼻子上那個疤很難看。父親對我說，這是上帝給我做的記號，萬一有一天我丟掉了，他很容易便可以把我找回。

雖然父親老是用寬慰的話來鼓勵我，但我依舊對自己很沒有信心。

及至現在，經過較多人事歷練，才逐漸體會出，外表並不是最重要的。有太多太多比外表更重要的事項，値得人們去追求，去珍惜。況且，我不過是鼻樑上有一道疤而已，並沒有缺胳臂斷腿呀！比起那些在重要肢體有傷殘的人來，我不是幸運太多了嗎？當我這樣想時，心情豁然開朗，便不再心存自卑，而能熱誠地和想與我友善的人們交往。

大陸詩人北島，在他題名爲〈一切〉的那首詩中寫道——

一切都是命運
一切都是雲煙
一切都是沒有結局的開始
一切都是稍縱即逝的追尋
一切歡樂都沒有微笑
一切苦難都沒有淚痕

一切語言都是重覆
一切交往都是初逢
一切愛情都在心裡
一切往事都在夢中
一切希望都帶著註釋
一切信仰都帶著呻吟
一切爆發都有片刻的寧靜
一切死亡都有冗長的回聲—

是啊，人生有太多的「一切……」。但，不管是什麼，只要能用理智，摒除偏見，把它看得透澈，想得明白，還會有什麼事，是不能釋懷的呢？

珍惜你所擁有的吧！

雖然，我的鼻樑上有一道刀疤；至少鼻子還存在，還能行使正常的功能，我何必不珍惜它？

（七十九年十一月五日立報）

愛串門子的老婦人

是時勢所逼，使我不得不離開故鄉溪洲村，暫別父母出外營生。每回鄉一次，村中景觀漸次荒涼：除了農田村舍，就剩下老人，及四處覓食的野貓野狗。

原本有兩個赤腳醫生駐村，替村民看病，解決醫療問題，近年來人口遷出率太高，生意清淡。一個搬走，另一個把看病降爲副業，常常讓上門求治的村民白跑。除非很嚴重的病，村民才到數里外的市鎮就醫。否則，老人們多半買成藥吃吃而已。

新春返鄉，有個老婦人到我家串門子，我發現她有一隻眼睛的眼皮怪怪的，詢問之後才知，她竟然自行動了眼皮手術。

天啊！這是多麼危險的事。然而她卻笑我大驚小怪，並向我解說手術的原因及過程。

人老到某種程度，眼皮自然鬆懈下垂，嚴重的甚至會擋住視線。爲了除去這層礙眼之皮，她先把下垂的皮用線綁住，使之成爲一個小肉球。久而久之，這個肉球因爲血液不流通，成了死肉球。等時機成熟，亦即肉球無知覺時，拿把利剪一剪，抹上「苦瓜丹」，待傷口結疤脫落，手術就大功告成。一隻眼弄好，再做另一隻。

這樣子獨創性的割下眼皮，恐怕是前無古人後無來者的吧！

老婦人與我正聊得起勁，村辦公處有放送（指廣播），說，要買「苦瓜丹」的村民，趕快到某某人家去……只剩十瓶……。她一聽，即刻起身要去買，並問我要不要買一瓶帶在身邊？她說：治外傷、頭痛……很有效。

雖然，我告訴她，說，我不用買。她買了之後，特地拿來讓我看。所謂的「苦瓜丹」，原來是一種藥粉。小小的一瓶賣三百元，還挺貴的，罐子上什麼標示都沒有。不知道成分爲何？村民們愛用此成分不明之藥，怎不叫人憂心？

歸來到人來人往的大都會，總是忘不了她，一個愛串門子的老婦人；若不是子女長年在外營生，她哪有機會發明自行割眼皮的方法。天可憐見，我農村子弟，雖心繫雙親，無奈回鄉，反倒成了暫住。每每想起稻田、玉米、高粱……就想起故鄉操作農事的雙親，以及那愛串門子的老婦人。

（八十二年三月一日立報）

電話媽媽的啓示

自從三姊主持的「娃娃之家」托兒所，開始收容幼兒，我便不定時地扮演起「電話媽媽」的角色。

那一天，我接到三姊的電話，她說美珍哭鬧不止，要我幫忙當美珍的媽媽，跟這孩子說幾句如——美珍乖，媽媽下班後就來看你，不要哭，要聽老師的話……——之類的話哄哄小孩。當電話那頭傳來稚嫩的喊叫——媽媽、媽媽……時，我被這熱切的呼喊震懾。這是第一次聽別人的孩子喊我媽媽，感覺怪怪的。遲疑一會兒，反應過來，按三姊要求的，跟那個叫美珍的孩子，說了幾句話。美珍以爲我的確是她媽媽，也就不再哭鬧了。

三姊發覺，利用「電話媽媽」，安慰哭鬧不止的小孩有奇效，就頻頻使用。於是，只要她所裡有新生入學，我家的電話線就特別繁忙。他們是零歲到七歲不等的小孩，有男有女，有時是怡潔、育民、有時叫興華、國泰……到後來人數太多，又他們在土城、我住中崙，彼此未見過面，總記不得那一個是那一個。但，不管那一個孩子在電話那一頭哭泣，都會使我想起自己的兒子姜杰。

杰兒今年未滿五歲，上幼稚園小班。剛上學的小孩，一定會很想媽媽的，不知杰兒在學校裡哭鬧起來時，老師都用什麼方法，來讓他停止哭泣的？於是，當我想到，別人也曾用盡方法，極力來安撫過我的孩子，我就更盡心扮演好「電話媽媽」的角色，去安慰那些不相識的孩子。

大概通話次數太多，大一點的孩子慢慢地發覺，我不是他們眞正的媽媽。本以爲孩子們，在知道實情後，就不會再要求打電話了。說也奇怪，仍舊有一些孩子，要求「電話媽媽」，繼續用不完整的句子，向我訴說他們的「思念」、「苦惱」。於是我問三姊：「爲什麼不打給他們眞的媽媽？」

「除非有急事，否則家長們都在上班，不方便接電話。」

「那些大一點的孩子，已經知道我是假的，怎麼還會要聽我說話，並一直叫媽媽？」

「孩子嘛！總愛聽像他媽媽一樣的人說話，並從那些話裡，得著安慰。」

是人，就有軟弱的時候，豈止是孩子，誰不希望在傷心難過時，得一些安慰？社會上有許多成人、青少年輔導機構，專爲兒童設置的協談中心，卻少之又少。那麼，當孩童們在遇到困擾時，該何去何從？

當我對人情冷暖厭倦、心寒，甚至很想躺在床上，眼睛一閉，一了百了，永不過問世事。卻因想著孩子的熱情與殷切呼喚，我開始學習堅強，並藉此體會出生命的本意。或者，上天是派遣孩子來，好叫這些爲人父母者更加成熟堅強。

充當「電話媽媽」之餘，我了解到，有些孩子身處貧困家庭，缺少母親那份薪水，生活就成問題。有父有母的如此，更何況那些單親的或父母不在的孩童呢？靠政府的福利單位所能做的相當有限。如果有那個能耐，何不擴充對自己子女的愛心，嘉惠那些需要幫助的孩童們？

（八十一年元月二十一日立報）

那被揉碎的玫瑰

恒久以來，玫瑰花一直是象徵愛情的花朵。然而，不久前，我卻獲贈一束代表友情的玫瑰。

就在那個星期六下午，才認識不久的L君，約我到一家咖啡廳，爲母親取治胃痛的特殊藥方。可是我的杰兒，週六下午放假，本想推說改日再約，L君卻提議與我一塊兒去接孩子，再帶著杰一同去取藥。我想著早些治好母親的病，便同意了。

到了那家L君指定的咖啡廳，我以爲拿了藥方子，便可以走人。不想，那L君先爲我的杰兒叫了一些吃的東西，並抱著他與店裡的人玩耍。那些人全圍著L君和杰兒瞎起哄。我自己坐在小店的狹窄座位上，悶悶地疑惑起來，爲何L君不把藥方子在和我碰面後，交給我就好了，還要我跑這麼遠到這個地方，甚至帶了杰兒來拿呢？正當陷入沈思中，L君把杰兒交給店裡的人看管，拿著一束玫瑰花，向我走過來。我想問他藥方子什麼時候給我，誰知話未出口，他那一束綴著滿天星的玫瑰花，捧到我面前。我被這樣的舉動唬住了，看看火艷艷的玫瑰，看看他，一時不能言語。心想，這是怎麼一回事？雖然我的丈夫年紀老大，但，我畢竟是有夫之婦啊！

L君看我不說話的驚嚇模樣，便趕緊解釋——玫瑰花十二朵，象徵友情，送你，你不要誤會。—

——聽了這些話。我只得大方地說：「謝謝！是友情我就接受，否則，我不敢。」，L君告訴我，他有很多女朋友，可是他從不送花給她們。我雖然對這樣的話置疑，卻不免對L君的用意感到不解。

儘管直覺告訴我，這玫瑰不僅僅代表友情，我仍願意單純地相信，這花沒有隱含他種暗示。否則，害一位有著大好前程的年輕人，陷入「婚外情」的痛苦中，是何其殘忍的不義呀！自從在一次飯局中認識L君以來，他得空便打電話給我，基於禮節，我當然不敢怠慢。只是漸漸地，具體的「事」談完了，他仍持續來電向我「問安」，希望常常得知我「在做什麼？」也告知我，他正在做什麼！於是，我開始有些恐慌，並感到情感上有了負擔，如今接到這束玫瑰，即使已非十七、八歲，不再方寸大亂，只暗暗地告訴自己：爲著L君好，疏離他吧！強迫自己拒絕這份情誼，不要自害害人吶！

送了花之後，L君把藥方子給我，我想起身告辭，看他一臉熱切，期望多與我相處的戀眷模樣，又不忍說出要回家的話來。正巧他的呼叫器發出聲響，他回了通電話，告訴我，他原本約了個人，現在他要去與那人說改天再約，要我在咖啡廳坐著別走，等他回來。他走了不久，杰兒累了想睡覺，我不等L君，便帶著杰兒回家睡覺。

進門不久，習慣性地攤開稿紙，準備寫劇本，竟一個字也寫不出來。看著剛剛插進花瓶的玫瑰，我開始不安，萬一杰兒他爸爸回家，看到這一束玫瑰，他會怎麼想？我能告訴他，這是L君送我，代表友情的玫瑰嗎？就算我如此這般實說，他會相信嗎？……啊！這是生平頭一回，從一位年輕男子手中接過來的玫瑰，很想留養在瓶中，如運動員得到的金牌，放在屋裡最顯眼之處，向來訪賓客炫耀一番。然而，這個白日夢馬上因理智的思考而幻滅！等一會兒杰兒他爸爸回家，知道有位男士「膽敢」送玫瑰花，給他鍾愛的妻，不大發雷霆才怪。雖然捨不得，我狠下心來，把那束玫瑰自瓶中抽起，管他幾朵，全丟進廚房的垃圾桶吧！丟了花，心裡似乎好過些，又回到稿紙前欲寫。想想，不對，還是扔到樓梯間那個公共的大垃圾桶，比較保險些。於是，我又把那被揉碎的玫瑰，用塑膠袋包好，拿出去丟了。

該丟的丟出門，應可以靜下心來，好好寫我要寫的劇本了吧！正要動筆，電話鈴聲響起，是L君。他先怪自己不該把我「丟」在那家咖啡廳，又很溫柔地問我，怎麼不等他，之後還是那句妳現在「在做什麼？」我當然不敢告訴他說，我正把他送我那束玫瑰花，扔出門去，以免我丈夫生氣，質問我，引來不必要的糾紛。一聽到L君感性的語調，我眞想大叫三聲說，不要擾亂我的心情！但，終究不忍。

放下聽筒，收起稿紙，杰兒睡得好甜。看著他睡著了，什麼事都不管的樣子，我也躺在他身邊，也許，睡著了，什麼事都可以不必管，就同杰兒一樣天眞地睡著，多好。可惜，躺了一下午，就是不能入睡。心裡亂慌的，不知道自己竟日想的是什麼，也不知道自己何以會變得如此……如此難以平靜。啊！難不成是爲了那被揉碎的十二朵玫瑰？

（八十年二月十四日立報）

老實人

秋末，氣候漸寒，當第一道冷鋒過境，我上市場爲杰兒買綿毛衫內衣，地攤賣衣服的女老闆，微笑地招呼我。我爲杰兒挑了兩件，因爲有一個大紙板上寫著，兩件一佰伍拾元。

挑好了孩子的，我想想也該爲丈夫買兩件，可是他太胖了，買回去也不敢保證一定穿得下，只得作罷。最後，爲自己也拿兩件。

接過這一袋內衣，從錢包掏出六百塊錢給老闆。老闆笑開了臉，把那張五百元的抽走，再找我兩百元，我覺得奇怪，問「怎麼回事兒？」老闆笑笑指著那個大紙板，說：「『兩』件一佰五，不是一件一百五，我們做生意的，也有『古意人』。不會喜歡佔人便宜呀！小妹，你以後要算卡準喔，換做『敢死的』，就不會還你錢了！」

明明看見兩件一百伍拾元，我算的時候卻算成一件一百伍拾元。拙於計算（連這麼簡單的數學題都算錯）如我者，難怪老闆看我個子小，喊我「小妹」了。她還以爲我是幫別人的小孩買的，怕我替人家買東西，算錯了帳，到時候要賠自己的錢給人。所以一直勸我，下次一定要注意，算得準確，免得吃虧。

聽了這位「古意的」老實人的話，接過他退還的三百元，我才恍然大悟——爲什麼我的錢包，總似乎短少個三五百元。

做生意不收額外的錢，是天經地義的。但，假若他不把不該拿的錢退還，只有他的良心知道。想到這，我因遇見這樣的老實人，雖在寒風中，心裡卻暖暖的、甜甜的。

（七十九年十二月十八日立報）

準備一個大抽屜

——投稿趣談

「準備一個大抽屜！」是我常常奉勸愛寫作投稿的年輕朋友們，一句最實用的話。

再笨的人都知道，這一個大抽屜是做什麼用的。當然，不會是用來裝鈔票，更不是用來裝讀者來函的。

如果您對寫作，沒有終身投入的意願，那麼一個大抽屜就夠了。要是像我一樣，沒有名氣，又鍥而不捨的寫寫投投。那麼，光是一個大抽屜恐怕不夠，要好幾個大箱子才成。

十年前，我開始寫作、投稿。一開始是散文，在校園刊物發表，還記得，第一次領到的一筆稿費，是新台幣一百元。當時，我在台南讀書，便把這一百元拿來買東西，請我的同學朋友吃，向他們宣告，一個「作家」的光榮誕生。朋友們也都鼓勵我繼續寫。

從散文、劇本、新詩、小說……我寫了許多，發表了許多，也被退了許多。雖然，聽過孫如陵老前輩的課，抱定「這頭不著，那頭著。」的信念，卻也難免因退稿次數頻繁，而萌生停筆之念。

可是，當五年前，我接到第一封，由報社轉來，讀者給我的信之後，我就知道，這輩子再也放不下這隻筆了。

來信者是一位年紀比我大的女性，她說她看到我發表在報上，談論有關空中大學的短文，以爲我是傳播學專家，很客氣的向我請教幾個有關空大的問題。並說，她生肖屬豬，問我屬什麼，她很想和我做一個朋友……

接到這樣的信，當然對我鼓勵很大。然而，我並非什麼專家學者，只是一個空大學生。對於讀者的厚望與期許，我深感惶恐。在這件事後，我不敢將稿件輕易寄出。一是害怕才疏學淺，誤了讀者，造成讀者的傷害、或不良影響。二是擔心，某些熱情的讀者，誤認爲我是專家學者，殊不知我不過是個感情豐富，年青的眞理追求者而已。

俄國文學家屠格涅夫(Ivan Tugenev)說——

「我敬愛生命，敬愛生命的眞實和生命的偶然，以及瞬間即逝的美。」

對於生命的看法，我不能認同屠格涅夫，因爲，我認爲生命是必然非偶然。美縱使存在僅是瞬間，仍不失其永恆價值。然而，在敬愛生命，及敬愛生命的眞實上，我與他相同。尤其是生命的眞實，是很難能可貴的。但眞實往往不完全，眞實一直令人們又愛又怕。所以我把最眞實的話，隱藏在一大堆冠冕堂皇的文字裡，希望它在穿上人們喜歡的外衣後，仍保存它內在的實質。也希望有心人能在賞識它華美的外衣之餘，也細心思考一下眞正的隱意。

當我認定眞實，並隱藏自己體會出的眞理時，我爲自己準備更多的箱子，打算將被退稿件投入時。我不再因稿件是否被退而憂喜，只是盡我所知所能的寫。

奇怪的是，箱子準備愈多，被退的稿件卻愈少。

眞實愈被隱藏，眞理愈發受重視。

如今，我要再奉勸愛投稿的年輕朋友們，一句更實用的話：

「在準備一個大抽屜之前，先準備一顆敬愛生命、敬愛眞實的誠心吧！」

（七十九年十二月十一日中華日報）

病後知人生

視金錢爲珍寶，是秀秀的一貫作風，然而一連病了一年三個月之後，她的「金錢觀」完全變了。

十年前，秀秀是某企業附設幼兒園的老師，又兼該企業季刊的編輯。由於工作表現佳，上級每次都給她甲級考績，當別人一個月領一萬多元時，她則領了兩、三萬元，是別人的一倍。

在姐妹淘中，秀秀賺的錢算是最多的。然而她平時簡直是個守財奴。好吃的不肯買來吃，以幼兒園的食物爲主。好衣服不肯買來穿，往往都撿姊妹們不穿的，自己改一改再穿。大家都不知道她爲什麼這麼樣省吃儉用，有時聚集起來，便開她玩笑。問她，是不是想多存一些嫁粧，好挑一個俊俏的小白臉嫁。

當然，她會搬出一大堆理由，說明省錢的重要。還建議我，叫我不要那麼「笨」，把賺來的錢都交給父親，自己只剩下生活費，那萬一父親把你的錢用光了，怎麼辦？我回她說，父親老了喜歡手邊有點錢，就算用掉，我還年輕可以再賺。她很不以爲然，說我不會精打細算，往後要吃大虧的。

只是，那一場病來了，來得很怪異。秀秀常常頭昏目眩、拉肚子、腿酸痛……反正全身都不舒服，最可怕的是她有時會喘不過氣，像要死掉一樣。請了假這裡檢查，那裡化驗的，總找不出病因。好不容易在台中一家中醫院發現，是膽汁外溢。加上平常太勞累，又營養不均衡所致。

這一場病，讓她如到鬼門關走一遭，再回來一般。整個人瘦得皮包骨，原先省吃儉用存的錢，也都花得所剩無幾，到現在，三十幾歲了，結婚對象都沒找到。

秀秀每次看到我，便對我說：「人算不如天算。」

她精打細算，想要存錢致富，結果，因飲食失調，得了大病。把辛苦存下來的錢，一下子全花光。反倒是我，平常，只要是應該用的一定不省，不必用到的也絕不浪費。平常只留下生活費。錢放在父親那兒，在我結婚時，父親全部拿出來給我當私房錢，一毛也沒花掉，這也是我當初所料想不到的。所以，秀秀相當羨慕我「傻人有傻福」。

如今，秀秀已不再視金錢爲珍寶了。代之以「錢啊，不必太刻意去賺，如果它要跟你，你就是推也推不掉。它要是不跟你呀，想留都留不住。」

的確，一場病使得秀秀有正確的「金錢觀」，更重要的是，她更明白何謂「人生」，而不再當守財奴了。

（八十一年九月十五日立報）

大哭

讀謝鵬雄先生「慷慨送終」一文，提到「你即使眞誠覺得很哀傷，也不宜很率性地在大庭廣衆之前大哭一場的。」然而，同樣生活在現代台灣，我家鄉（嘉義縣義竹鄉溪洲村）的悼喪禮俗卻正巧相反─即使你並不哀傷，也必需在大庭廣衆之前大哭一場。直到親友來勸你節哀。外出親人返家奔喪者在哭時：原本在家輪到看守靈堂的人，少不了要「陪哭」。於是乎，三天左右的喪事辦完，喪家大哭幾回合，則視他的親友多寡而定。

祖母別世的那年，我隻身在台南求學，聞訊趕回家時，我僅在靈堂前默默流淚致哀，不料卻被母親叫到一旁訓話。說「你這個査某囝仔，讀書讀到背後去了。怎麼不大哭出聲？你這樣不出聲，誰聽得到？別人會說我們養的女兒不孝，你知道嗎？看看人家彩華（我三叔的女兒），用跪的從門口庭（庭院）爬進門不說，哭得多大聲呀……你也應該這樣哭才對……。」

顯然，我的哀悼方式讓母親覺得沒面子。但，我實在無法哭得像彩華那樣，那麼慘烈，那麼旁若無人，那麼聲音響亮，那麼……。所以聽完母親建議我用的那一套「哭奶奶模式」，只能無言以對。心裡暗想，我用我的方式哀悼，別人要批評我，誤會我，又能奈他何？

死亡雖是一個普遍的生物現象，但，在不同文化裡，處理方式也各異其趣。都市有殯儀館、葬儀社，連靈堂都是現成的，喪家必須親自辦的事並不多。相形之下，農村人口較稀，因缺乏儀葬服務業者代勞，喪事就紛雜繁難多了，往往需要村人互助才能完成。以我們溪洲村爲例，村辦公處有人負責，安排壯丁輪流幫忙喪家運送棺木、挖墓穴，做一些粗重工作。舉喪又因信仰不同，大致可粗分爲兩類：一、多神教——占多數。二、基督教長老會——少數。

多神教方式即村民所說的「世俗仔」的方式。他們沒有特別信仰，只奉祀祖先牌位，或兼拜各路神明。如××王爺、××娘、××公等。這類村民辦喪事步驟如下：

㈠縫製孝服：商請村中熟知此事的老婦人擔任總指導，孝服爲麻布（後改爲毛巾）有紅、黃、白、黑色。顏色與款式分別代表送終者與死者的關係。

㈡超渡亡魂：請師公（道士）作法，燒庫錢（紙錢），設靈堂、神主牌等供悼祭捻香。

㈢安慰死靈：請職業「歌者」，配合法事唱牽亡歌仔。通常用擴音器，使全村都聽到。

㈣奏哀樂：出殯當天，請樂隊演奏哀傷的曲調。晚近流行用電子琴花車搭配遊行。當然各奏各的曲。

㈤五子哭墓：有的人請來職業「哭手」，替出錢的人哭，據說這也是孝順的表現方法之一。

基督教長老會信徒，村民俗稱「聽道理的」。比起世俗仔，教徒的儀式簡單多了。只要做好孝衣，集合親友，請教會牧師來做禮拜就行了。一般有聖歌隊獻詩，也有樂隊及電子琴花車。我的家族是屬於這一型。不管是那種類型，村民們認爲，從外面回來奔喪的，都必需大聲哭泣，直到親人來勸方可罷休。如果有人「陪哭」，當然不可停止。尤其婦女，一邊哭還要一邊泣說，就像唱歌仔戲的哭調仔差不多。說詞內容因哀悼者與死者之關係而異。大體是哭訴「你死了我怎麼活……」等懷念、捨不得、傷心……之類的感性字句。村民沒事的在旁圍觀，討論那一個哭的最「孝順」。

記得祖父出殯時的告別式（禮拜），他分佈全省各地的子孫們，不論是在台北、台中、高雄、鳳山謀生的親人，每一房都請回一位當地教會的牧師前來，代表致詞。六個兒子所屬支系帶回六位，加上本地一位，共計七位牧師輪流致詞，或講道。又，五個女兒及六個兒媳婦，加上一些說不清關係的婦女，在棺木起動時，齊聲大哭叫喊。有的抱住棺木，有的搥胸，有的拉扯、撞壁……眞是聲勢浩大。

根據人類學文獻紀錄：有些對死靈極爲畏懼的民族，如，雅美族在人死後立即將屍體運往屋外，棄於村落領域之外，並在歸途上一路驅趕 anito（一種惡靈），不使其跟隨回家。布農族清楚地區分凶死者（因意外事故死亡），及善死者（生病或老死）的處理方式。由於唯恐死者轉化成害人的精靈，故凶死者就被草草埋葬，並在事後盡量迴避……。

溪洲村也有類似上述的習俗，若車禍死的，便就地在路邊搭帳棚，直接送往墓地埋葬。不被允許屍體進村內，否則據說會招來惡運。另有一個現象頗傳奇，村中若不死人則已，一旦有人死，一定要連續死三個，湊成「三」這個人數才停止。每當有一人死亡，村民便議論紛紛，猜測接下來要死的是誰。若問這其中原因何在？沒有人知道。或許「三」人結伴同行，才合乎此地死神的要求吧？

送終的方式儘管如何的千奇百怪，只要有歷史、有文化的民族，總有其固定模式可循。尤其中國人慎終追遠的觀念很深，祖靈崇拜普遍受到重視。台灣隨社會形態快速變遷，都市生活快節奏的步調，使得土葬只適合鄉野山村，大多數人改採較經濟衛生的火葬方式。送終的禮儀，無論在城市或鄉村，都日趨簡化，以適應時代之所需。相信溪洲村村民，「當衆大哭」的禮俗，有朝一日也會自然消無。

（八十一年七月十二日立報）

交友檢查站

每次出國在機場的出入境處，一定要經過層層關卡的檢查站。檢查通通過關，才能出境或入境。經過檢查站，是進出一個國家的必經手續。設立這道手續的目的，小則確保該班次飛機乘客安全，大可預防不法份子滲入，維護一國的社會免受滋擾。

讓一個人進入我們的國境必須如此，讓一個人，進入我們心裡又何嘗不是如此呢！

我用「眞」「誠」預設我的交友檢查站。

我對我的朋友「眞」，對我的朋友「誠」；也相信我的朋友必然會對我「眞」，對我「誠」。

有一位從小與我一塊兒長大的朋友，名叫英仔。當我回鄉下娘家時，遠遠的看到她，向她打招呼，她卻躲著我。

那天晚上，我翻來覆去無法成眠，怎麼想，就是想不出個道理。

爲什麼她不理會我，要躲著我？

一來，我沒有做出對不起她的事，二來，也沒有犯大罪，或苛薄了誰，叫人看不過去。三來……！

何以英仔會表現出似乎對我嫌惡的態度？我是個重感情的人，便決定天一亮，就到英仔家，問個明白。如果我做了什麼對不起她，卻不自知的事。正好當面向她道歉，並設法給她補償，彌補我的過失。假使我沒有錯，那麼問題必然出在英仔身上，念在一起長大的份上，她沒有理由，不對我坦白啊！

到了英仔家，她三個女兒在庭院裡玩耍，她蹲在大水盆旁邊洗衣服。我把我兒子帶過去和那三個女孩一起玩，並給她們每人一包餅干吃。

英仔看到我，仍低著頭，自顧地洗衣服。

我走過去，也蹲在地上，問她—

「英仔，妳在洗衣服啊？」

「嗯。」

「好久沒見了，你好嗎？」

「…………」

「聽我媽說，你搬回娘家住了，你丈夫呢？……他該負責任，照顧你們才對，他怎麼可以把你們丟在這裡，不管了」

「英仔，你怎麼不說話！……還有，昨天，我叫你，你怎麼不理我？我做錯了什麼，讓你生氣？……」

英仔終於停止洗衣，隨手在她身邊抓了一張小板凳，請我坐下，再繼續洗衣。她說—

「阿雪，你嫁了一個有錢、有地位，又愛你的丈夫。你不會了解我現在的艱苦的。……我不願意看到你，是因爲你的幸福，讓我覺得自己更窮困潦倒，更沒面子。當初，我不顧家人的反對，跟小我兩歲的男人結婚，……現在，他天天喝酒，打牌，……成天不幹正經事。沒事還打我，罵我。……唉！早知道會這樣，我也學你，嫁一個老一點的。至少不愁吃，不愁穿吶！」

「你說什麼？你躲著我……」

「怕你看不起、嫌我窮，所以先自己躲遠一點。」

「英仔。我們從小一起長大，你心裡很明白，我不是那種以貧富論交的人啊！況且，我嫁給一個有『才華』的老頭子，並沒有你們想像中那麼有錢，有一天，他有個什麼的話，我馬上就成了寡婦，還要靠自己養一個小孩。恐怕比你要悽慘得多。到時候，你是不是更不理我呢？」

英仔笑一笑，抬頭看看我兒子和她的女兒們，玩在一起的快樂模樣。就好像看到，我們童年一起玩耍時的快樂景象一般。於是，我們又聊了一些童年趣事，把現實煩人的問題，都暫時拋開。

貧窮，是英仔的心結，也可能是許多人的心結。

音樂史上有名的音樂家，布拉姆斯（Jorannes Brakms）有幾句話告訴我們，說：

「如果貧窮生在有志氣者的身上，等於是上帝給了他一項資本。因爲，有志氣的人，從來不被窮困擊倒。」

多麼令人振奮的話呀！

貧窮的人，不會因貧窮被擊倒；沒有志氣的人，才會被窮困所擊倒。

英仔對我吐露了，隱藏心靈深處的心聲。雖然，她心態上有些偏差，卻句句感於情，發於心地「眞」。這樣的人，很容易便通過我的交友檢查站。

對於那些表裡一致的人，當他們經過我的交友檢查站時，感應器是不會響的，而表裡不一致的偽君子，經過我的交友檢查站時，那隻探測外表之下隱藏什麼的交友感應器，便ㄘㄘ……作響。正如在機場，檢查站站員手拿的感應器一般。感應到某人隱藏的什麼有害物或違禁品，便ㄘㄘ……作響。必須把那有害物（或違禁品）拿掉，才能過關。

D君一直是個被公認爲有才華的人。我從認識他以後，便一直對他的聰明機巧非常欣賞。當我欣賞一個人時，便把他帶回家，請他吃飯，親手燒菜給他吃，以此表示我的欣賞之情。

認淸一個人，不是一天兩天的事。認淸一個僞君子，更需要拿出你的交友感應器。

我的交友感應器，是「信」。那日，D君在接受我的邀請，到我家吃飯。回去之前，特別很得體地提出回請的客氣話來。我聽了這個話，當時有一個直覺，直覺到他一定不會眞的請我到他家吃飯的。我太愛他的才華，怕他對我失信，通不過我的交友感應器，當場用婉轉的話，暗示他不要回請。我的說詞是「再說吧！」結果一段時日後，他正如我所料，沒有對我「再說」回請這件事了。

請客事件過後，又有許多事，D君連連對我失信。有一回，他允諾送我一本市面上已經買不到的詩集，講好什麼時候寄給我，可是我左等右等，就是沒有下落，我在乎的不是那本詩集是否到我手上，而是D君的人格因而自損，假使他手邊已經沒有那本集子，或他改變主意，或他根本忘了……不管是何情況，都明顯地告訴我，他是個僞君子。

在我沒有要求他做什麼時，他自己允諾我要如何如何。可是讓人等了許久，他卻不實踐他的諾言。這種輕諾寡信的人，一點也不「眞」，一點也不「誠」啊！

我對我的朋友，言出必行，說到做到。做不到的，我絕對不說。也希望我的朋友，對我亦如是。否則，就會如同D君一樣，被我視爲「表面上」的朋友。

現在的社會，愈來愈現實冷酷。人們慣常以財富，名望……等實際利益，爲他們的交友感應器。雖然，有那麼些重利輕義的傢伙存在，並不表示就沒有眞誠守信的人了。

我非常感謝上蒼，當我用「眞」「誠」預設交友檢查站，用「信」爲交友感應器時。仍然有那麼多可愛的好朋友。成爲我眞正的朋友。在我的人生旅程中，與我分享快樂，憂傷，使我不致成孤獨無助的人。

面對這些眞誠守信的朋友，我自覺是天底下最幸福的人！

（七十九年十一月十八日立報）

阿文

一

「阿文又打電話來了？」

拿著話筒。對外子不悅的質詢，報以無奈的一笑。仍繼續與阿文談話……

「阿文，妳不要衝動，就算要和豐仔離婚，也要設想週到再說。」

「我已經都想過了。他整天神經兮兮，就知道找『明牌』，什麼事都不願做，就想著那一支牌會中。哼，那有那麼好中的。現在慘了，又『摃龜』啦！」

「妳上次不是告訴過我，他中了廿萬，還送了一條金項鍊給你嗎？」

「別提那條項鍊了，早就讓他給當了。唉，妳以為中了『六合彩』，對我有多少好處？其實每次中簽，他就拿錢不當錢，到處請人喝酒，帶舞女跳舞玩樂，好幾天都不回家。」

「那妳該勸勸他！」

「他那肯聽？」

「既然他的錢，都摃龜了，怎麼還有錢去簽？」

「這就是我爲什麼一定要跟他離婚的主要原因。我愈來愈害怕，豐仔遲早總有一天會出事。」
「他在做什麼，這麼可怕？」
「豐仔，他……半夜和兩個朋友，戴上了面具和手套，出去『動手搶劫』。」
「什麼？……搶劫，抓到了會坐牢的！豐仔以前很本分，怎麼會變成這樣，我眞不敢相信。」
「他變了，爲了『六合彩』，完全變了……」
「豐仔眞的變了？」我放下話筒，陷入了沉思。

二

阿文住在我家隔壁，從小一起長大，和我情同姊妹。她國中畢業後，在附近的工廠上班，後來認識工廠旁邊賣早點的豐仔，兩人情投意合，就結成了夫妻。當時的豐仔勤奮、節儉，一心就想能多存點錢，將來買幢房子，計劃開飯店。

豐仔每天天未亮，就起來賣早點，中午稍微休息，下午又忙著揉麵粉做饅頭、包子，省吃儉用，三年以後，果眞實現了他的夢想。飯店開張了，我眞爲阿文能找到這麼一個好丈夫而高興。

誰能料到，他中過一次『六合彩』後，豐仔就把錢不再當作錢，像個暴發戶似的，騷起來了。把中簽的彩金，花在穿名牌衣飾、開起小包車，戴上勞力士金錶……誰知沒多久，這些東西都先後進了當舖。他已無心再經營飯店，把所有辛苦存下的錢，分批投入了「六合彩」，飯店的事，就全靠阿文一個人在硬撐。中了彩金，心情好，就買東西送阿文。一攌龜，心情不好，向阿文逼著拿首飾去當，再要不到錢，就手打腳踢，外加「三字經」。現在居然會去合夥「搶劫」，唉！難怪阿文要考慮到和他「離婚」！

三

外子一向不愛我去管「他人」的閒事，而這回聽了我述說阿文的遭遇後，卻要我勸阿文與豐仔離婚。他最反對人沉溺於賭博，說「要一個賭徒不賭，就像要太陽從西邊出來一樣，是很難做到的事。」

但是，我想到阿文已爲豐仔生了個女兒，如今又已懷了孕，……果眞離了婚，今後的日子怎麼過下去？……

我猶豫著，衷心盼望，豐仔能懸崖勒馬，及時醒悟，……誰知，晚了。

昨天，深夜，我在酣睡中，又被阿文的電話吵醒，她哭泣著告訴我說，「豐仔在搶銀樓時，和老闆打起來，把人家給打死了，現在已被警察抓走，恐怕……」話筒中的啜泣聲，使我不知該如安慰阿文。

（七十八年九月十六日暢流半月刊）

溫情

欣聞先生的次子，獲得美國亞利桑納州立大學、電子學系全年全額獎學金，我感動得流下喜悅之淚。

先生的次子，單名寧，他爸爸都叫他寧兒。記得五年前，第一次與他見面，我與他父親剛結婚，他尚服役軍中，每個月回家三次。我先生要他喊我阿姨，也許是「大男孩」殘留的青澀，他打量著我，似乎叫不出口。我忙說，不用，不用這麼叫。他只知道我姓柯，就禮貌性的喊我柯小姐，問了一聲好，便倏地離去。

當時，我初來乍到，對這個家一點也不熟，只一味的聽信我先生的美言，及至碰觸到眞實環境的人與事，才發現怎麼那麼多事情「不對勁」。

偉大的科學家伽利略說過「生命有如鐵砧，愈被敲打，愈能發出火花。」因此，在這樣「不對勁」的家裡，我仍堅信生命，是蘊藏極大耐力的，而盡力去使自己看起來「對勁」一點。況且人非草木，又怎會老被無情對待，沒有一點親情溫暖呢？當兩年前，我躺在病房，忍受生產後的痛苦、寂涼時，從先生的女兒手上，接過一袋蕃茄，我更加確信，生命的任何付出，只要是有益於人的，都是值得的。

由於我平日愛吃的東西不多，先生的女兒必然同我一樣，謹愼小心，否則怎麼知道我愛吃蕃茄，而曉得帶蕃茄來看我呢？縱使，按中醫的學理而言，產後虛弱，不宜吃涼性食物，而蕃茄性涼不合實際需要；然而她的心意，已經足足叫我感激涕零了。

老二寧兒，更是善體人意。有一回，我挺了個大肚子，在廚房吃力的洗碗。他誠懇的來對我說，妳懷著孩子，不方便，還是我來洗吧！聽了這樣一句話，我忽然想起，在這個家所承受的，種種不容向他人言語的事來。一時不能自已，竟躲到房間暗暗流淚……原來這個家的人，還算有比較富於「愛心」的人；不全是那種只自顧讀書，不分擔家務的「老爺」「學者」。寧兒平素便愛幫助別人，心地善良敦厚。及至我兒—杰出世，他更是愛護有加，常常陪小孩兒玩耍，給他買這買那的，視為寶貝。沒事時，也會修修門窗、水龍頭、擦擦地板桌椅，甚至把女朋友（如今是未婚妻）帶回家幫忙家事，眞是個閒不住的大好人。

俗話說：好心有好報。寧兒在工專時，成績一向平平而已。當他退役後，向家人說準備考托福，出國留學時，他父母都一致認為不太可能考取；而我只是默默的祈禱，希望他能順利出國留學。現在他不僅考取，還為了報答他父親籌錢供他出國，發憤用功，每門課都拿A，終於得了獎學金，眞令人感佩。也證實了，善心終獲善報的至理。

自然主義始祖—盧梭有一段話，說：「一隻猛鷲，在練習飛行時，總是隨風而飛，如果遇到了危險，牠就轉過頭來，逆風而飛，反而飛得更高。」

寧兒正如同那一隻猛鷲一般，勇於逆風而飛，飛向他人生的更高處，我能不爲他高興嗎？如今他們兄妹，都自然而然改口叫我名字，如同好友親人一般。我只是個微不足道的小女子，能在冰冷現實的世界苟存，如今尚不至心灰意懶。這都要感謝他們，是他們的良善，讓我覺得，這人間至少還有溫情。

（七十九年八月五日中華日報）

（七十九年八月十四日中央日報海外版轉載）

幻燈片

她先生的女兒是某專科學校的學生，學校裡有「攝影學」；老師要求學生繳攝影作業，先是拍「幻燈片」。

當女孩禮貌性的拿完成作品，請她過目時，以她專業攝影家的知識推測；不用看作品即知。眼前這女孩一向粗心大意，不可能拍出構思細密，特別具創意的作品來。

女孩睡了。一整盒幻燈片擺在她書房，她一張一張仔細地看，一邊看一邊思索，如何對女孩提出善意的建言。使女孩信任她，從內心來佩服她，而不僅是表面上的禮貌應對而已。只賸最後一張了。她努力地想找一張比較好的來誇獎女孩，但，找不到。要誇獎也得誇獎得有道理，否則便是虛僞，只要能說出其中一張很好，好在那裡，她和女孩的距離，便可拉近一點。

她拿起最後一張，發現它很特別，與其他幻燈片截然不同。就構圖比例而言，有種無法用邏輯分析的智力機制美。不知道花了女孩多少苦心安排，才得到這樣的鏡頭。

眞好！她終於找到一張她要的幻燈片了。

她用心分析那張幻燈片：

焦距放在正格子花樣的天花板上，焦距下方是天花板與兩面牆的夾角。而方形美術燈座，她先生的全身油畫像，及她倆的結婚照，分據整個畫面的三角，使焦距下的牆角，與空著的角遙遙相對，像在護衛著什麼。

她看到這種史無前例的組合，驚覺是「後現代主義」的作品。以前所公認的那一套藝術欣賞方法已經過時了。幸而她還沒有古板得不懂如何欣賞「後現代主義」藝術作品。女孩已經睡了，不然，她打算好好借這張幻燈片為題，談談她的「後現代主義」創作觀點。

有了橋樑，還怕過不了河嗎？她愈想愈覺得，該多花些心思來研究它。把握這次機會，做好彼此間感情的增建互動。

小小的一張「幻燈片」，所表現的，不正是人生的「多角化」嗎？天花板的小格子，象徵女孩過去經歷的一般事件。焦距下的牆角代表未來的憧憬，即女孩心意所屬的男友。燈座，父親的油畫肖像，父親第二次婚姻的結婚照，三者關係相連……她嘗試以心理分析法來解釋，得到的結論是—

燈座下的女孩，處在現在的狀況，最敬最愛依賴的人是父親。然而父親的離婚再娶，使得她成為女孩兒父親的身影，成為女孩兒心目中「家」的代位。而那個「空角」不正是為「親母」備留的嗎？

雖然親母執意要離開父親，離開這個家。但，女孩兒總認為母親是應該屬於這個家的，於是，一顆心總是在那個空角上懸著、懸著地等待，等待、等待、等待……

翌日早餐時，她正準備與女孩好好溝通，印證她對這張幻燈片的見解。正要說出她準備好的用辭，女孩卻說：

「哦！這一張那是修理相機時，不小心按到快門的啦！我才不會拍那麼「爛」的片子呢！」

她剛喝下的一口牛奶，差點兒吐了出來。

（七十九年二月廿五日中華日報）

我數著不可數的光點，到天明

一

父親有一個小得不能再小的收音機，在他的枕頭邊，跟萬金油、薄荷條、和煙一起。白天上工、下田，操作農事，沒有時間聽。晚上吃過晚飯後，他喜歡到慶順伯開的雜貨店，跟聚在那兒的村人聊天，或玩「撿紅點」（紙牌的一種玩法）。小收音機是他上床後的良伴。

記得我未上小學之前，全家人除了大姊，在外半工半讀之外，二姊、三姊、我和爸爸、媽媽，都擠在一個簡陋的通舖上。爸爸睡在邊上，他喜歡把他的棉被折成長條狀，和其他的人劃開。而我卻愛睡在這條被上，軟軟的，好舒服。尤其在夏天，床板很熱，被上反而涼爽。

那時，小小的年紀，應該沒有什麼煩惱。可是，當別人都入睡，我往往還睡不著；一直等到父親的木屐聲，由遠而近的傳來時，才趕緊假裝成自己已經睡著的樣子。

父親上床後，總是先把我抱到我該睡的位置。他睡好之後就開收音機，聽說書人說故事。我總要聽到父親的鼾聲，幫他關掉小收音機後，才能安心入睡。

有時候，當我把收音機關掉，父親便醒來；於是我又迅速打開它。有時候，父親整個夜晚沒有安睡，收音機一直開著。我一方面裝作自己是在睡覺的樣子，一方面猜想，父親是為什麼事不能安睡，但總是想不出個所以然來。深夜，收音機裡傳出說書的人，講廖添丁義勇抗敵的故事。當音效配上惡人欲逞凶之「嘿嘿嘿………」陰笑聲時，我就在想，是不是有這樣的壞人，要害父親。睜開眼，老式瓦片蓋成的屋頂圖面，原本不規則，什麼都不是的線條，頃刻間竟成了父親與惡人打鬥的畫面。那惡人的形狀恐怖至極，還露出牙齒，嘿嘿嘿……地陰笑著。閉上眼，我強迫自己睡覺，但終究不能；在我閉著的眼內，一片黑中，有無數金的，銀的，紅的，藍的，彩色的光。

我被迫數著這些不可數的光點，到天明。

二

世界五大詩聖之一，莎士比亞說「當命運的巨掌擊中要害，祇有大智大勇者，才能處之泰然。」婚後，杰兒出世，乃至於現在；命運的巨掌一直很精確地，不斷擊中我生命中的要害。我常常因承受過多的壓力而失眠，並深刻地體會出，自己離大智大勇太遠，所以面對諸多問題磨難時，不能處之泰然。縱使，本身能力有限，在問題發生了之後，總要想辦法解決。如何解決？除了思考，就是努力；現在努力不夠，往後可就要付出更高的代價，與命運搏鬥啊！為此，我怎敢不努力朝自己選定的方向前進？

常常，我在夜深人靜的燈下，趕寫劇本，閱讀具深度的硬書，思考一些難纏的問題……也常常，未滿三歲的杰兒，會從臥房跑出來，帶著微怒的口氣，對我說——媽媽睡覺！若我不依，他也不肯睡，一定要我陪著他一起睡，他才能睡得安穩。反倒是杰兒的父親，在他自己的房間，依舊是鼾聲大作。

三

在偶然經過電器行時，靈機一動，爲何不買一個小收音機，可以用耳機的那種？於是我進店裡選購。

買了小隨身聽，往後我再失眠時，便使用耳機，聽巴哈的大鍵琴曲子，讓「音樂從我靈魂中，洗刷日常生活的塵垢。」我以爲這樣可以不吵到睡在我身旁的杰兒，又可減少我失眠的痛苦。不料，這個如意算盤失算了。

只要我沒有眞正入睡，杰兒也無法睡得安穩。他翻過來翻過去；坐起身又躺下身，看看我後又把頭埋在枕頭下……這樣的肢體語言，告訴我他的煩躁不安。

若我不加理會，繼續聽我的隨身聽，他在忍無可忍的氣頭上，便把我的隨身聽耳機扭下，打我的胸口，義正辭嚴地，命令我「睡覺！」

生下這種兒子，不知該如何是好？我猛然想起，父親枕邊，除了小收音機，還有萬金油、薄荷條、和煙。我決定翌日馬上去採買這些物品。

使用了萬金油、薄荷條、和煙之後，失眠的情況與痛苦是減輕了很多。尤其是煙。當我把煙吸進體內，在全身轉一圈之後再吐出來時；原本鬱積心中的所有悶氣，就這樣一口一口被滌蕩舒解，不再胸存怨氣沖六合了。

然而命運的巨掌對我一點也不放鬆，繼續緊盯我生命的要害，猛烈撞擊。我的智與勇仍不夠大，無法對所有事情處之泰然。失眠依舊是我的「家常便飯」。

我多麼希望自己是個沒有感覺的人，多麼希望這顆心不是活的。年幼時，我為父親的失眠而假裝安睡；如今已成年，卻為了讓兒子能安睡，而假裝不失眠。

當兒子扯下我的隨身聽，我閉上眼，眼內一片黑。除了黑，還是黑。我所希冀如童年般金銀多彩的光點，並沒有出現。我忍受這種黑，一直到杰兒完全熟睡之後，再起身小心輕步的到我的寫字桌，就著小燈寫稿。寫到我不想寫，再拿起寫好的稿紙來數。

數著數著，那金銀般多彩的光點，出現在紙上，我寫的每一個字都有數不完的光點。

啊！我又數著這些不可數的光點，到天明。

（七十九年十月廿三日新生報）

在苦難中擷取生命的樂趣

一

中國人常說，好死不如歹活。我對此話一向持相反論調，認為——能在一個適當的時機，用最美麗的方法死去，是人生最大的幸福。常與幾位「志同道合」的朋友，研究各人心目中最美麗的死亡方法，互相約定，隨時準備享受自己「人生最大的幸福」。

然而，當那一天阿古力（我兒子的乳名）對我說了那句話之後，我頓然領悟活著的樂趣，開始變得珍惜生命，不再輕言「上帝，讓我蒙您恩召吧！」

二

猶記，婚後第二年青年節前夕，在榮總待產的心情。想像，幸福的女人，第一次當媽媽心中應該只有喜悅與期待，而我……。恍然如在夢中，疑惑自己怎麼會、會置身產房，任由命運牽著鼻子走，在此等候一個「錯誤」的誕生。

臨盆的陣痛，未曾打斷我試圖了解自己之理性思考。同室待產的李太太，緊抓著她年輕丈夫的手，嬌嗔喊痛喲！外子滿臉倦容，人工手染之黑髮根底，那一截零點一公分的銀髮特別顯眼。看著他鬆垂的眼皮，我不忍。請他到室外有長椅的走廊休息，只留二姊在身邊陪我。

李太太的叫痛聲實在太慘烈，惹來護士小姐的勸罵：「不要用這種聲調尖叫，力氣用完了，等一下哪有力氣生小孩？再說，附近病房就有好幾個心臟病病人，聽了這尖叫發病起來誰負責？……」李太太聽勸安靜了一下，過不久又「不成聲調」的慘叫起來。我並非不痛，只是雙手緊抓著床邊鐵條，任由熱汗接著冷汗流，也不讓自己叫一聲。

二姊見我咬牙忍痛，說：「痛就叫出聲來，大聲叫吧！你爲什麼要這樣忍著？這樣不吭聲，怎麼受得住？……」室外傳來熟悉的鼾聲，我丈夫禁不住累，想必坐在椅子上打瞌睡了。鼾聲中，他髮根底那一截來不及染黑的銀髮，又恍然浮現。

三

在產房裡，嬰兒似乎知道人間非樂園，遲遲不願出來。醫師用過許多方法後，終於在左右各兩位護士幫忙之下，醫生喊一、二、三推、一、二、三推……把小傢伙給推出來。聽到哭聲宏亮的嬰孩降世，每位工作人員都爲完成這「大工程」而歡喜。看他們各自向醫生邀功，頗有成就感的模樣，我奇怪自己內心反無一絲喜悅，反倒有無盡的悔意。擔心在所處的困境中，自己沒有能力善盡母職，白白叫孩子吃苦受罪。

有位護士把嬰兒抱到我面前，對我說：「看，是男的。蠻像他爸爸耶！一出來就睡『大』字型，長大了可了不得……」聽了這些話，應該高興的。然而孩子第一次看我時，那眼光像極了他父親，不知怎麼地，心情又沉重起來，內心充塞恐懼與愧疚。如果幼兒有意識，他會不會怪我？怪我給他一個相逾六十歲的生身之父？對於這個事實，我一點補救的辦法也沒有。

在恢復室休息時，有個好奇的小護士問我：「妳先生大你那麼多，妳怎麼願意嫁給他？」

我搖搖頭，沒有說話。

難怪很多人要問。一個身家清白未曾結過婚的小姐，何必去嫁給一個離過婚，又有三名子女的老男人呢？即使他有些才華，即使他還算明理，即使……

四

一開始，我總以為生下這孩子是個「錯誤」，怨上蒼愛與人作對，我不想要孩子，偏偏給我一個孩子。阿古力有時會耍賴、不聽話，照顧他很辛苦。辛苦的代價是歡愉，是安慰，是人生因而豐富、精神不再沒有支柱。阿古力已經成為我生活的一部份，一天見不到他，便心魂不定，做什麼事都覺得乏味。

在他一歲多時，我因事到上海，將他寄養娘家。這母子第一次長時間分離，我雖旅途勞累竟三個晝夜毫無睡意。心裡老繫念著阿古力，想著他是不是在哭？有沒有吃飯？半夜踢被子會不會受涼了……

旅罷歸臺，他一見到我，愕住了，眼裡漲滿熱淚，哭不出聲來，久久，久久抱著不肯哭出聲的孩子，我深知生命中，已然不能失去他了；並體會出當初不想要這孩子的想法，才眞是個「錯誤」。

……。

五

有位年近四十、尚未結婚的女性朋友，常對我說「有個孩子眞好，像妳。我一點也不在乎當『老姑婆』（指年長未婚女性），可是，沒能當媽媽總覺得遺憾。」

我對她說：「小孩是很煩人的，妳這樣一個人飽全家飽，沒有負擔多好……。」當阿古力調皮不聽話時，我確實如此想過——一個人消遙自在，愛上那兒就上那兒，想做什麼便做什麼，多好。甚至可以繼續研究「美麗的死亡方法」，想像自己爲著某種高超的理想，奉獻心力，犧牲性命（非自殺，是爲完成某事奮鬥而鞠躬盡瘁）將是何等壯美。直到那一天——

我重感冒已二個半月，不見好轉，在床上動彈不得，阿古力守護身邊。三歲零三個月的孩子能做什麼，恐怕只有增加我病中憂慮罷了。我雖學識淺薄，惟早知生死有命，準備好接受死神的召喚。大概上帝是可憐我兒年尚幼小，不可無母，遂容我在世。而今久病不癒，難道是大限將至？我奄奄一息對我兒說：「媽媽死了，你怎麼辦？」阿古力急著說：「不會的。」我不放心，又自問：「我死了，阿古力怎麼辦？」阿古力懊喪著臉，輕輕說出：「媽媽死了，阿古力一起死。」

六

「一起死」！

聽到這三個字從我兒口中說出，我嚇住了。

我可嘆，我年少癡狂少女時代，曾豁出生命去愛的男人，什麼都可依我，唯獨不願同我「一起死」。我先前不想要的孩子，卻願意與我共死。

宗教家探討人的前世與來生，哲學家研究生命的意義。我非此二者，卻常常思考生存與死亡的問題。找個相愛的人一起死，是我十幾年來企盼、等待的事。如今真有一個人（即使只個孩子），赤心誠意肯與我同生死共存亡，我聽了這話之後，倒反而不想死，而覺得能活著，眞好。

生命的樂趣，不正是由苦難中粹取獲至的嗎？

鎭日想著死呀！死的，除了惹得一身晦氣、自尋煩惱之外，實在愚昧可笑之至。再春風得意的人，也免不了要爲某些事，蒙受辱承受壓力，及遭不必要的嘲解嘲弄。一生順遂無半點憂慮的人，世間恐怕一個都不會有。弄清「要什麼、不要什麼」，我頓然覺得海闊天空。是該跳離「低調」之生活方式的時候了。

（八十年六月二十六日新生報）

小白花

愛種花，並不稀奇，只愛種白花，就令人不解了！

常常，邀三、五好友到家裡閒聊，每到陽台，他們總要爲我的花圃大發議論。於是諸如「缺乏色彩」「太單調」……等惡評不斷，但是，我仍堅持我的種花哲學——只種白花。尤其是小白花。

小白花眞美，因爲她樸素平實，安安份份的過日子，悠然自得的，享受她的生命。在不喧鬧，不爭榮，不誇飾自己的生活態度下，生命是眞實的。而眞實的活著，就是一種至高無上的美，一種脫俗無邪的美呀！

大文豪托爾斯泰，有句話說，「心靈純潔的人，生活充滿了甜美與喜悅。」借文豪的話來說——心靈純潔的花，生活也是充滿了甜美與喜悅。當然，愛花者亦如是。

十年前，一位在大學文學系，教中國哲學的C先生，送給我一盆名叫噴雪的小白花。並遞給我一張紙條，上面寫——

雪

妳是小白花

我永遠的喜悅

願共此生？

愛妳的C——

當時，我的臉羞紅，無言以對。好久好久才反應過來，很不好意思的問他——我長得又乾又瘦、個子小，一點也不漂亮。雖然會彈鋼琴，僅能自娛；會寫雜文，也夠不上登頭條的水準。況且，沒有顯赫的家世，……我知道你是名教授，我只是個農家女，著實不配，不配啊！你為什麼喜歡我？——

他看看花，看看我。看看我，又看看花。說——

這花的純潔正如妳，是世間罕有的珍寶，請相信我對妳的愛。……妳懷疑小白花的純潔嗎？純潔？這須要懷疑嗎？我十六歲的心靈，不曾懷疑過什麼，天眞地以為，人本來就應該這樣的呀！

我接受C先生的贈花，並喜遇了一位知己。如今C先生已經去世五年，而他送我的噴雪還活著，一直活著，活著等待開放，她含著淡淡清香的小白花。

蘇恩佩文集：「你愈發掘簡樸的樂趣，你愈接近生命的眞實。」老子第十二章：「五色令人目盲。」

小白花的生活安泰閒靜，不追求流俗所艷羨的色彩。心情寧怡恬靜，圓滿自足，過著一種看似平淡的寧靜人生。這樣的人生，使我想起柏拉圖筆下的斯發樂(Cephalus)不就說過類似的話嗎？有人笑他年邁，不能再如從前一般恣享慾樂，那知他正因此而慶幸擺脫了慾樂魔掌的控制，而能享悠閒適性的人生呢！

愛種花的朋友們，當您的花圃裡種滿了黃花、紫花、大紅花……之後，何不試著種一種玉蘭、茉莉、七里香……？也許在您的花圃開滿了小白花時，您將有不同的美感體會。

（七十九年十月廿日新生報）

花

一

開春了，到花店問老闆要菊花的種子。老闆卻說：

「買種子回去種很麻煩的。從播種、施肥、除蟲……好不容易才長大，又要等長大好一陣子才開花，實在太慢了，買一盆現成的回去只要澆澆水就好了，既方便又省事。花，眞要從種籽養起，您不嫌過程太辛苦了嗎？」

他說什麼也沒用，我很清楚自己要的是什麼。

二

剛結婚時，先生的前妻常「回來」。她喜歡花，每次「回來」都先去澆種在陽台的花。興緻來時，買一大束粉紅玫瑰，綴以滿天星，看起來花繁枝茂。擺在客廳，與她穿的橘紅套裝，相得益彰。尤其在股市「長紅」的日子，更顯得她的體面風光。

平時，她常用鮮紅的劍蘭，供在客廳固定的角落。然後在長沙發上小睡、看報、或打電話聊天。

她也會帶來一些食物、零食、雜物……甚至親自下廚。其實她已經與我先生正式離婚，也搬出去許久，大可不必盡這些義務。但，她仍自以爲是這個家的一份子。

有一次，她竟拜託我，在她有事不能來時，「幫她」澆陽台的盆景。我心不在焉的答著。其實很難說，到底是誰在幫誰澆花！

另有一個大熱天的中午，她打電話來，吩咐「她」先生，其實應該是：「我」先生，要記得澆花。先生嫌她煩，向我抱怨道，不過幾棵「爛」花而已，她眞喜歡，何不乾脆拿走，省得嚕嗦，一天到晚嘰呱呱叫。我安慰先生說，她習慣了，一時改不過來。像你，不也常常在我面前稱她爲「我太太」嗎？其實她早已不是你太太了。我想慢慢的大家都習慣了，她就不會再來管我們家的閒事了。

我先生要我「歡迎」她常「回來」。但我對於要適然面對她「回來」，又要表現寬宏大量的風度，所下的自制功夫，感到很累。也厭惡自己的虛僞。

她爲這個家經營的一景一物，都使我想起，這對「以前夫妻」潛意識裡仍互相認定是「夫妻」。這種於法不合，於情難責的「默契」，在她和他來說是自然而然的。但，看在我眼裡，不免暗自傷心，自嘆擇偶不愼，惱氣他，竟容前妻來此牽扯不清。

每當她來，我就有一種馬上離開屋子的衝動，最好去散散步。先生總是儘可能的陪著我。慢慢的，我發現他似乎有一點怕她，她在時，我們出門，他不敢和我一塊兒走出去，要我先走，約一個地方，他來會合。

他不承認怕她，說，全爲了「息事寧人」，不願刺激她。並說，他是個愛面子的人，本不肯離婚，是她拿刀子逼他離婚，及簽下契約書給她巨額贍養費的。否則她要殺他及兒女們，大家同歸於盡。

她眞是「恐怖份子」嗎？果眞是，我又如何安然與她「和平共存」呢？

每每接到找×太太的電話，卻不是找我。我總要一一對話筒說明，我是「新任」的×太太，以前的那一位早離婚搬走了。不識相的還要問東問西，我煩，看著她插的花，有紅的、有黃的，……多麼鮮艷刺眼啊！我惱，眞想把花全踩碎，卻又愛憐花的無辜，往往作罷。只好忍，，忍……忍到花自己枯萎吧！

三

先生的兒女們也愛花，陽台的花約有一半是「他們媽的時代」種的「舊花」，一半是我後來才添種的「新花」。我雖不怎麼喜歡「舊花」，顧及「花道」，在照顧時，都一視同仁，全部的花都長得很好。

某日，先生的次子買了花肥回來洒，過了五六天「舊花」幾乎全枯萎了。

先生的女兒發現後，很不高興，懷疑我澆水時，只澆「新花」而任烈日把「舊花」晒死。她不說，但由眼神我看出她在惱我，怪我太不「花道」，也惱自己，怪自己懶得澆花。

我也不解，水澆得一樣多，何以「舊花」大都死光，「新花」卻更繁茂？追察原因，我發現施肥的人「偏心」。對「舊花」特別優待，以每盆約三瓢的量，大把大把的洒上去。對「新花」則給予點滴的「施捨」，每盆洒到半瓢。

發現原因後，我告訴他們，花是因施肥過量致死的，他們不信，去問賣肥料的老闆。老闆說，每盆不得灑超過一瓢，才證實我的推斷。

四

新播的種子發芽了，剛長出兩片嫩葉、翠玉似的綠，帶有初生的光澤與喜悅。

結婚三年，兒子才滿週歲，會走、會叫、會笑、又會撒嬌，眞惹人愛。走在路上，常有小女孩跟在後面注視他，不捨得離去，哥哥姊姊也都愛他。

股市崩盤，「她」爲了躲避債主，很少「回來」，即使來，也不再關心花了；而直奔兒女們的房間，快速把要做的事做好，連客廳的新沙發也不肯多坐一會兒，便火速離去。

買回來一盆「現成的花」，即使你很喜歡它，也照顧它。這樣容易得到？你以爲擁有它了嗎？那只是「表象」。

一粒種子，從埋進土裡，到成長開花，必須親自經營。看它怎麼發芽，怎麼長，才能當之無愧的向人炫耀說：「看啊！多美，這是屬於我的花呢！」

（七十八年七月十三日新生報）

都是遺產惹的禍

「台南幫」某巨富仙逝，他的女兒及女婿，對遺產的分配不滿，而大鬧靈堂的社會新聞。再次證明一個事實，財物的誘惑，往往使人棄親情與顏面於不顧。

分家產最難的是公平，有資格來分的人，最希望的也是公平。然而世界上沒有「絕對的公平」，只能「儘量的公平」。於是自古至今，爲分家產而生之訴訟、屢見不鮮。雖說愛財乃人之常情，但，即使在合於理法的情況下，爭取遺產，乃不免令死者嘔血心寒。

若是人還健在，就「不知恥」的爭起「所謂的遺產」來，那才是天大的笑話呢！而這種笑話竟讓我碰上了。

這事發生於三、四年前，我新婚不久。「他」的前妻由於心理上還不能接受，年近花甲的前夫再婚的事實，加上對我認識不夠，誤以爲我是貪圖「她所謂的遺產」而下嫁的。其實我先生賺的錢，都替她還了做股票欠的債。（約三、四佰萬），還要給她贍養費（三年約一佰伍十萬），再有兒女的生活費、學費……早已入不敷出，連積蓄都沒有，更別提遺產。幸好有一幢破舊的小房子可遮風避雨，否則日子眞不知怎麼過下去。「他」雖苦，卻對她沒有半句怨言，只是慶幸已經離婚了，此後不用再替她背債。

該是源於母愛吧！她憂、她愁、她揪心啊！

母親總是怕兒女吃虧的，於是她使出「一貫的伎倆」，要脅我先生立「所謂的遺囑」，寫一張字據，由她保管，聲明房子、保險金、退休金……等都要「公平」分為×等份。保障她兒女的權益。否則就要殺死我和我先生，然後再自殺，「一命抵兩命」，她一點也不吃虧。

我先生即使不情願，說是為了「息事寧人」，事實上是「習慣性」的「就範」。

她相信，她是兒女的守護神，是崇高而不容忽視的母親，是我先生的「元配」，是這個家的功臣，是……，然而是又如何？恐怕多少個「自以為是」，也敵不過一個事實—離了婚，則往事便「不堪回首」了。

也許是受了「老莊哲學」思想的影響，我深深為自己有健全的雙手，並能用雙手工作而感到滿足；當我在盡心盡力的工作之後，「成就感」是我最大的收穫。

至於金錢財物，只要夠起碼的用度即可，多了反而助長貪慾，招來禍害，成為搶劫、綁票……等歹徒下手的對象。所以說「漫漫江河豈可盡飲？」到最後也只能「取一瓢飲」啊！

本世紀初，英國亞敘登（Ashtonupon Mersey）有一位近代戲劇文藝作家—斯坦萊・霍登（Stanley Houghton）。他是當時英國「曼徹斯特派」內最有名的一位。

在獨幕劇「親愛的死者」（The Dear Departed）中，斯坦萊・霍登把一對姊妹，厭煩於侍奉老爸，卻又急著想分老爸的財物的那種醜態。用喜劇形式加上英國人特有的幽默，巧妙的展現出來。

劇中的兩姊妹及女婿們，以爲喝醉酒的老爸已死，紛紛把老爸的新拖鞋、書桌、掛鐘……占爲己有。嘀咕著怪老爸沒有繳清該期的保險金，留下許多麻煩給她們。並且一度爲一隻發亮的金錶，該屬誰，而爭論不休。

不料，老爸沒死，並宣佈「要把所有的東西，交給那個我同他住到死爲止的人。」他不要再與任何一個女兒女婿同住，而選擇再婚。他語重心長的說「過去我覺得我對妳們是一個負擔，所以，我就去找了一個肯甘心情願照顧我的人。」

由斯坦萊・霍登的劇本可知，不止中國人愛分家產，英國人也不例外。正如劇中人的一句對話──「嗳！每個人都想爭家財，眞下賤！」

台南幫的某巨富，其實生前已把財產分好了。他以爲可以安心的告別人間。卻萬萬想不到自認爲最公平的「分」法，卻仍有人不服，甚而提出抗議，大鬧靈堂。

他生而爲人，活著要忍受紛爭，死後成仙，仍不得安寧。或許此刻他正在羨慕那些沒有留下財產的「仙友」們，渴望分享一點「他們」獨有的「安寧」吧！

但，上蒼是公平的，使財產與安寧，不能兼得。

「他」只能嘆口氣，暗自在心裡埋怨。

唉！都是遺產惹的禍。

（七十八年七月二十九日立報）

鳥的隱私權

人有隱私權，鳥也有嗎？沒有養過鳥的人，恐怕很難回答這個問題。養鳥，實在不是我願意做的事，倒不是厭惡處理它的飯食及排泄物，而是不肯成爲囚鳥的罪人。鳥是屬於天空，屬於樹林，屬於大自然的。把它們關在籠子裡，是何等殘忍而不「鳥道」的事啊！

縱使抱定不養鳥的心志，卻遇上不得不養鳥的怪事。

在我兒姜杰週歲生日那天午後，杰兒一個人在客廳吃米菓，我在廚房整理雜物。忙了一陣子，卻聽到「歌地，歌地……」的鳥叫間夾小孩的嬉笑聲。我以爲有人進門來，逗我兒子玩。到客廳一看，落地紗窗開了一條小縫，一隻翠綠色襯底有黑藍條紋的鳥，正在啄食杰兒手中的米菓。

可憐的鳥，我想它是餓壞了，它發現我來，一點也不害怕，依然急切地啄食。我怕它沒吃飽，便到廚房找一些水果、小米之類的食物，來招待這位不速之鳥客。它一邊吃一邊跟杰兒玩，狀似原本就認識的熟朋友。

我把紗窗全部打開，希望這鳥兒在飽餐一頓之後，回到它的家。然而它飛到陽台看看花，又飛進屋裡玩耍，這樣飛進飛出就是不肯走。我沒太多空閒理會它，心想就把紗窗開著，隨它去好了。

那天晚上，我先生約好了他的大兒子、二兒子、女兒和前妻，一同上館子吃飯，也算給杰兒慶生。席間我向大家談到那隻鳥，衆人都怪我，爲什麼不把它抓起來。我先生最相信「命」，當時便說了一句「有鳳來儀」是好預兆。大家不懂這話中涵意，經由他解釋才知道——

原來他在考慮離婚的時候，曾找人算過命，算命的說他會結兩次婚，有三個兒子，晚子主貴。那時他也不太相信，因爲他的兩個兒子都大了。他和他的前妻都以爲所謂的晚子指的是次子了。他們也一致認爲兒子們都還算優秀，至於「貴」應該是指成爲大人物，至少是有名的傑出之士，依實際的跡象看，似乎沒有那種可能。

所有接近過杰兒的人，幾乎都說他是「天才兒童」，也有懂相術的朋友，說他以後要做官，而且不是小官。……最叫我啼笑不得的是，當我第一次抱杰兒回娘家時，我媽看了杰兒後，竟對我說「歹竹出好筍」！

這一頓慶生酒，大家一致熱烈的討論杰兒的特異之處，並猜測那隻鳥會不會飛走。他們都希望鳥兒沒有飛走，好證明它是來向未來的大人物賀生的。而我則希望鳥兒趕快飛走，回到它的天空，自由飛翔。更不要它來證明我兒是什麼大人物。萬一我兒眞如他們所說的，將成爲擔負民族、歷史重任的要人，那得吃多少苦啊！以我身爲母親的私心，只要他活得健康、快樂我就很滿足了。況且，我只是一個平凡又見識淺陋的女子，怎麼承擔起大人物的母教之責？

席散後大家急著回家看鳥還在不在。大門一開，只聽到「歌地，歌地……」那鳥如衆人所願，還在陽台玩耍。於是杰兒的哥哥姊姊，買鳥籠的買鳥籠，買飼料的買飼料，先生的前妻也習慣性的「督陣指揮」。不多時，他們就把鳥安頓到籠子裡，個個興奮不已。就沒有人問我，打不打算養它。這鳥也眞笨，乖乖的進到他們所謂的「家」裡，在裡面「歌地，歌地……」的叫，杰兒也學著它「歌地，歌地……」的叫。

一隻鳥怎麼會無緣無故的飛到我家來？我猜想可能是附近人家養的鳥，不小心飛出來的。爲了不願做個囚鳥的人，我雖暫時收留歌地（大家決定取的鳥名），卻天天注意電線杆，有沒有貼出尋鳥啓事。也許歌地的主人正尋它尋得慌呢！既然沒有貼出啓事，我何不自己去幫它找它的主人。打定了主意，我便到附近有養鳥的人家按鈴，一家一家的按，問他們有沒有遺失一隻鳥。結果都說，沒有。歌地便在我家住下來。

先生的前妻，一向熱心參與我們家的事，對於我們家的「鳥事」，她一樣關心。有一天，她對我先生說，一隻鳥太孤單了，何不到鳥店配對，買一隻回來跟它作伴。我先生聽了忙說，對呀，我現在就去。他也沒問我要不要給鳥配對，拉著我的手提起鳥籠，便說，走，妳跟我去選。然後對他前妻說，孩子妳看一下，我們馬上回來。

好了，本來只有歌地被囚，現在又多了一隻美蒂。美蒂住進來不久，肚子一天比一天大，可是就是不生蛋。問了鳥店老闆，才知道是籠子不對。一定要有木頭小盒子，充當她的巢，她才能生蛋。換了鳥籠，美蒂一生生了六個蛋，孵出兩隻小鳥。在她生蛋孵蛋期間，家人總愛去掀那木盒子。

地看看蛋有幾個，是什麼顏色，孵出小鳥沒有……以此爲樂。每次那木盒子被掀開，美蒂就嘎嘎……慌叫，杰兒一發現有人掀那木盒子，便前去叫罵阻止，甚至打那個掀盒子的人。其實杰兒話都還不會說，卻用他特殊的表情與音調，使人知道他在罵人。他爲什麼叫人不要掀那木盒子，難道他能知解鳥語？

後來兩隻小鳥不幸都夭折了，顯然美蒂是個沒有經驗的鳥媽媽。現在美蒂每生一個蛋，便把蛋弄破，她是否對自己的養育能力失去信心了？還是另有原因？若另有原因，這原因何在？我思考這個問題，最後只好又去請教鳥店老闆。老闆說，鳥生蛋時不能去看它，一掀開盒子，它便會把蛋弄破，孵出的小鳥也活不成了。

啊，害死小鳥的，竟是我們這群無知的大人。

杰兒是對的，他知道即使是鳥兒，也有它們不容侵犯的隱私權。我們應該尊重它們，不能任意的驚擾，否則它們只好用激烈的「破蛋」行動，以示抗議。

（七十九年九月二十七日立報）

給他完美的婚禮

——是我最大的祝福

是一種哭泣的寡婦也難理解的心情，身爲王太太，王家的長子結婚，我卻不是主人也不是客。如果把這些事，原原本本讓父親知曉，非但要引來一場宗族大戰，導致舊仇新報，甚至本省人仇視外省人的一連串忿恨糾紛。爲了我年僅五歲的杰兒，離婚不是我能選的，不管是什麼樣難忍的委屈，我都必須盡速讓那種負面的情緒，快快離我而去，重新拾起面對生活的勇氣。

新春回娘家，父親又重覆問我，每次見面都要問的老問題：「他的子媳會不會看不起妳？」我不該大主大意，嫁給年紀大我一大截的外省仔，來忤逆他。他一生最痛恨外省仔，主要是當兵的時候，被他們修理的很慘。……聽父親這樣說，二姊趕緊替我向父親說明，我夫家的成員都是知書達禮，有禮貌的基督徒。父親才未繼續追問。

人一定要活到某個年齡，才會知道，有些問題實在是問跟不問一樣：答了與不答沒什麼兩樣。

丈夫的長子婚事近了，我與他商議該送什麼禮物給新娘。萬萬沒想到，他卻說「妳只要不搗蛋就好了，不用送什麼。」雖然他出此言之後，馬上向我道歉「失言！失言！」而我也了解，我一心想要做得不失禮，做得完美，做得讓人認爲我是稱職的王太太，到頭來只換得他認爲我是那種，愛在人家婚宴上「搗蛋」的人。既然如此，我大可安逸些，什麼事都不要管，樂得當個沒事人。

由於前年丈夫的次子結婚，一切婚禮事宜次子都先與我丈夫商議，喜帖打印時略去男方女主人的名字。當然主婚人是丈夫和他前妻。本來我以爲我應該坐「第一桌」的，弄到最後，我倒像個姨太太似的，心裡很覺得對不起來參加婚宴的娘家長輩。而至此我才覺悟，不能再像過去五年一樣，容忍他前妻在我家進進出出，燒飯煮菜……就好像她仍未曾離婚一樣「方便」。

強忍住不滿的情緒，直到婚宴結束，但我的容忍已到極限。我發誓今後要更努力，在自己的事業、學業上追求卓越，一定要達到足以「令人尊敬」的成就。

婚姻並不是很如意的女人，惟一的好處，就是容易集中精神，向事業與學業發展。因此，有了他次子婚禮之經驗，這次他長子結婚，我準備不出席，眼不見爲淨。也正好那天是我空中大學期末考的日期，我便寫了一張卡片，送了一份禮，表示我不能參加婚禮，向丈夫長子致歉。

爲了不失做人的道理，曾經早早向教會年長的姊妹請教，丈夫的長子結婚，我該不該參加？那位姊妹提供我的意見竟是：「如果他邀請妳妳就參加，否則就不用強出頭。」那天，我聽到長子與他父親討論，他說：「媽媽說她不坐第一桌，讓玉雪坐。」丈夫的意思是要前妻和我一起都坐第一桌。……

……

知道自己的斤兩，既然是「讓」的，我更不敢坐。我仍覺得不參加婚禮爲妥。

長子婚禮的前幾天，我接到我丈夫的朋友來電。問我「怎麼喜帖上邀請人印著他前妻的名字，而不是妳？」

「眞的？」

直接的反應，我很不能接受，既然王家長子結婚，身爲王太太的我，竟然未列名邀請。後來想想，退一步海闊天空，如果因爲我的忍氣吞聲，可以給這對新人一場完美的婚禮，我何必不祝福他們？

想通了這一點，我便對丈夫那位打電話來問的熱心朋友說：「謝謝你的關心，畢竟他不是我生的，喜帖怎麼印就隨他去吧！這樣一來，我家辦喜事，我既不是主人，也不是客人，正好落得無事一身輕，可以全力準備空大考試，有什麼不好？等我自己生的兒子結婚，肯定輪不到別人具名邀請了。」

朋友還說我丈夫的許多朋友都議論紛紛，說喜帖怎麼可以那樣印，現任太太不印，沒有名份的反倒印了。

如果不是爲了愛，怎麼會不顧父親反對，嫁到王家。既已是王家婦，又怎能不爲王家事操勞憂心。父親擔心我在王家遭丈夫的子媳看輕，如今丈夫的長子結婚，新郎與新娘正喜洋洋在澳洲，與無尾熊度蜜月，當然想不到我這個無以爲重的王太太，要費多少唇舌向那些熱心得似乎有點過度的朋友解釋「喜帖」的事。

我國古代周公制禮作樂，西方摩西公布十誡，人民依循這些律法，凡事有所依規，只要按律法行事即可。現代人離婚再婚者不計其數，卻沒有適當可循的禮法可行。或者，我們正需要一位現代周公，或現代摩西吧！

（八十二年二月二十四日立報）

非要努力

人的狂想很多，但現實生活總有不如人意處，端看你如何揀選取捨。而抉擇的智慧，其實就在生活之中。

年前到社教館看一齣舞台劇《非要住院》，內容是描寫一位身懷巨款的中年男子，儘管生理上沒有任何病痛，卻非要住院。

原來他是某大公司的廠長，因厭倦了複雜吵嚷的環境，而住到最不引人注意的小醫院，去尋找寧靜。

當院方查出他的來歷，通知親友來接他時，他趁親友未到之前先行離去，顯然是在逃避衆親友，也就是在逃避這個世界。

欣賞了這齣富於哲學意味的戲之後，不禁反省自身，是否也曾逃避過什麼？或是想逃避什麼？

當然，答案是肯定的。

我逃避過的事太多太多，想逃避的事也太多太多，卻沒有一件逃得過命運之神的巧妙安排。

曾經有個浪漫的想法，獨個兒坐上輕快的熱氣球，去到一個沒有人認識我的地方，叫一切重新來過，讓從前的記憶頃刻之間消失，而我已是全新的我。這將是多麼令人興奮的美事啊！

可惜，那畢竟只是個狂想。

被註定要面對的事，似乎沒有一件逃得了；如果試著去逃，只落得讓問題更複雜，徒然牽扯出更多新的糾結。

爲了逃避讓我倍感壓力的家，我在沒有充分了解的情況下，與一位長我卅七歲的離婚男士結婚。婚後才知道自己是何等愚昧無知，竟闖入一對看似無情卻尚留餘愛的老夫妻當中，非但傷害了那位所謂的前妻，對年輕的自身，更是一種「逼向瘋狂邊緣」的酷刑。

如今結婚四年多，兒子也滿兩歲了，雖然婚姻生活，表面上漸漸平順，但任誰都知道「夫老妻小難爲婚」，丈夫與我隨時有天人相隔的危機，苦的還在後頭呢。

細想自己逃避的主要是什麼？看了《非要住院》，經由劇中某些靈感提示，駭然發現：自己一直在逃避努力，作爲一個好女兒的那種努力。因爲，我一直害怕，怕永無止息的壓力，怕做不好，怕不如別人好，尤其怕不如男人們好。

記得小學時每遇考試拿滿分，母親便賞我一個鬆軟可口的大餅，嘉勉我繼續努力，將來出人頭地，絕不容輸給四叔那個與我同班的兒子。

父母一連生了五個女兒，遺憾沒有一個兒子。我是「豬尾仔」，所以最受寵。爲了要讓父母在親友面前可以向人說，我的小女兒成績很好，都是班上前三名喔！於是我便爲別人的讚美而努力。

父親常對姊妹們說「輸人不輸陣」，妳們知道嗎？不要因爲妳們是女的，就甘願被人看輕。「輸人不輸陣」我知道，但即使我成績比四叔的兒子好，表現比衆叔伯的兒子優秀，阿公還是比較在意他們，而不太注意我。

於是我逐漸厭倦這種爲他人讚美而活的虛榮，我要追求屬於自己的生命眞實內容。慢慢地，經過許多特別的際遇，我意識到文學殿堂的大門，已爲我開，寫作成了我主要的活動。婚後我便自私地，沉浸在文學天地裡，看閒書自娛，停止努力，看淡了父母的殷切期望。

而他們卻仍然對我抱持希望，希望我有所成就，希望我能與叔伯的兒子們一較長短，希望我能……

……

回想阿公在世分家產時，因父母沒生下一兒半子，而主張田地產不分予太好的，免得將來「肥水落入外人田」。母親一聽這話立即淚下，父親也面色凝重，無言以對。

當時我還小，只覺得大人們好奇怪，要那麼多田地房子作什麼？現在自己結婚生子，丈夫拿的是死薪水，子女都尚在求學，其中有一人留學美國，光負擔他的費用，每月薪水就去了一半，雖尚未到苦不堪言的地步，卻也嚐透持家之艱苦。

父母希望多耕作好的良田，爲的是增加收入，改善生活，供女兒求學，免得將來在社會上被人看輕。

我到現在才明白他們當初的苦心，怪只怪我，爲什麼在經歷過這麼多苦事，才覺悟到什麼是生命的重心，什麼才是我該努力的方向。

俗語道：「手抱孩兒才知父母恩」，說得一點也不假。想想父母的養育之恩，不努力，我無以為報。想想丈夫年邁力衰快要退休，不努力，我將無以為生。再想想幼子資質聰敏活潑可愛，不努力，又何以教養？

那劇中男子是身懷巨款，因而可以「住院」，為自己找個寧靜的空間。而我呢？也許只能求那寧靜，住進我方寸之間吧。

（八十一年七月十日婦友雜誌七十七期）

成長的小經驗

C君是哲學家，有一回他拿了一本「南華眞經正義」的書來送我，要我好好讀，並當場翻開該書的《秋水》篇，爲我講解。一邊講，一邊罵，說我太「心高氣傲」，如果不虛心向學，終究只是塊璞玉，綻放不出應有的亮麗光耀。若不聽勸，內蘊的力量開展不出，太可惜了……他對我說《秋水》篇裡的譬喻——

河伯原以爲「天下之美爲盡在己」，但當「行至於北海」便自己覺得慚愧，因爲他看到了北海比他大，比他……——

對於這些話，當時我不覺得有什麼特別，更不認爲自己眞的不謙虛。只一味地迷戀C君的風采，而不願深思他的用意，細究他的話語，並預存了一種偏見，認爲C君的才學好，不過是他家世好、環境優……等外在條件促成，沒有什麼了不起。

C君對於我的偏執，心裡急，卻使不出辦法來，叫我懂得爲何要謙虛。

事隔十年，C君去世也五年了。

有一天，我在信箱拿到一張誤投的，某工專的校刊。因爲這校刊沒有封死，且收信人是我極熟的朋友，於是我不客氣地打開看，裡面有一篇郭海鵬博士演講全文。講的不是他的專業知識，而如他的結束語所說是：「我一些成長的小小經驗，提供給各位參考。」

在這些小小經驗中，有一段話，頗引人深思。他說「譬如，我這個博士，在美國共花了七年半，將近八年才拿到，而我認爲博士至少有三種人可以拿到，第一種人是很聰明、天才型，在美國，我看到不到三十歲就拿到的，這種人屬天才；第二種人，是他很用功。此種人很多，記得曾經有過經驗，就是晚上在解習題，已經搞到半夜兩、三點了，還未解出，最後我放棄了。因爲我想——班上同學看起來也不比我聰明，我想他們大概也算不出來，結果第二天，我發現總是有人解出來，我眞覺得他不比我聰明，於是問他，我到三點都算不出來；他告訴我，他昨天整夜沒有睡，所以他比我用功，我認輸了；至於第三種人，我覺得我是屬於這種人，也就是會熬的人，不肯輕易放棄……」

這些話，眞叫我心驚之餘，不禁斂容慚恧。尤其是這幾句—我眞覺得他不比我聰明，於是問他，我到了三點都算不出來，他告訴我，他昨天整夜沒有睡……

一個不努力的人，除了惰性使然，還有一個原因是自滿，以爲自己很行，不必太努力了。甚至以爲別人之所以能而自己不能，那是運氣的緣故。

然而，果眞有好運，就可以不努力了嗎？

事實上，只知抱怨環境而不知努力，以改善環境的人，永遠與成功無緣。劉墉先生有一段話說「在人生的戰場上，不要覺得自己已經拚了命，也不要怨環境對你的要求過苛。應該想的是，是不是自己的對手更拚命，別人的環境要求得更苛。」

在我瞭解到自己努力不夠，正在加強努力時，又遇見D君。他是一位極難能可貴的青年才俊，年紀才大我三歲，卻已得過很多文學大獎，文才受肯定，且頻頻被邀請去各種文學研討會演講，講得內容深入，頭頭是道。

我看到他，正如同「河伯」看到「北海」一樣，只能「旋其面目，望洋向若而歎」從此自知才疏學淺，深刻地體會出當年C君對我勸誡之言，及他要我讀「莊子」《秋水》篇之用心良苦。在看了郭博士的「成長經驗」，也把我成長的小小經驗寫出來，紀念，哲學家C君。

（七十九年十二月四日立報）

夢醒時分

一

大太陽底下，張嘉源領著十人組成的隊伍，浩浩蕩蕩地往頂好廣場集中。醒目的黃色背心制服，前後都寫著「張嘉源」三個白色大字，被吸引的群衆圍攏過來。

助選員有的搭台子，有的發傳單，有的拉來人潮助陣……煞是忙碌，殷紫君也幫著裝擴音器。不一會功夫，一個木箱子搭起的克難式講台，出現在人群中央。張嘉源一個跳躍，上了講台，拿起麥克風，開始口沫横飛，大談他的政見——

「各位父老兄弟姊妹，我是立法委員候選人，登記第三號張嘉源，相信大家都知道『建立東方瑞士的台灣國』，不能光靠枝枝節節，因循拖延的改革口號。今天台灣社會百病叢生，人心低迷，都是根源於外來殖民政權的長期統治。小至地下鐵的規劃、國民住宅的興建，大到政治結構的調整、社會福利制度的創制、新文化的重塑，都必須完全根除外來政權的過客心態……。」

「新台灣國，哈！讚啦！」台下助選員歡呼幫腔，拍手造勢，群衆情緒一時激動沸騰起來。

「我們要保護生態，人人有屋，建立便捷交通，福利社會的新都市。」張嘉源繼續滔滔的說著。

「好耶！」群衆裡有人跟著拍手叫好，也有人掉頭走了，一個助選員開始播放「台灣好」的錄音帶。

樂聲中，殷紫君時而遞毛巾，時而奉茶水給張嘉源。

「嘉源，喝口水，你一定很累了。」

「還好，紫君，去把擴音器再開大一點。」

「可以啦，你看，那邊那個戴眼鏡的，行動蠻可疑的，說不定是便衣警察，他拿了一個包包，也許裝著錄音機正在偷錄你說的話，我擔心你的言論會不會太……。」

「哎，別緊張兮兮的，怕什麼？我有言論自由，是法律允許的，就算錄了音，他們敢把我怎樣？」

「嘉源，還是小心一點好，不要太過火了，別忘了，以前你爲黨辦雜誌，被抓去關了六個月，如果這次你爲了競選，再被抓進去關，那我怎麼辦？」

「現在是民主開放時代，不會的啦！紫君，等我選上了立委，我們馬上結婚，妳就是立委夫人，多神氣呵……」

「可是，我怕……你會出事……。」

「別怕，我有我們黨主席撐腰，他們敢動我一根汗毛？嗯！」嘉源捏捏紫君的鼻子，一副篤定的模樣。

「主席可靠嗎？……我總覺得他只是在利用你，因爲你文章寫得好。」

「好了，不要再說這些，我們還有不少事要做呢！」

嘉源信心十足的拿起麥克風，繼續發表他的政見，紫君卻思想起幾年前的嘉源，與今天的他眞是一百八十度的轉變。

二

那是一個星期天的早晨，在中央圖書館外的草坪上，一對準大學生在K著書，他們是嘉源和紫君。

「嘉源，你考上×大政治系，高不高興？」

「當然高興，妳考上了師大也不錯呀！畢業後不必愁沒工作，而且學費全免，還可以領生活補助費，眞好。」

「如果你當時也塡師大，就不必再去送報籌學費了。……說實在的，你是個直性子，不懂得圓滑，恐怕將來無法適應『政治圈』裡的爾虞我詐呀！」

「什麼事都是可以學習的呀！我對自己有信心，再怎麼難的事我都不怕；爲了實現我的政治理想，做個有影響力的人，讀政治系不是正好嗎？」

「我不了解，你怎麼會對政治有這樣大的興趣？」

「也許是我的家庭環境所造成，我……」

「總算聽你提到『家』這個字眼了，我們交往都二、三年了，你一直不肯帶我到你家玩，甚至絕口不提家裡的事，是不是我還不夠格做你的女朋友呢？」

「不，紫君，我沒有別的女朋友，我對妳是眞心的。」

「那麼，告訴我你家的情形，讓我先認識一下你的家人，好不好？」

「這……。」

「紫君，有些事不說出來，比說出來好。」

「我不要聽這套，我要你帶我去見你父母，要不然你總得說出個理由來。」

「妳一定要聽？」

「嗯！」

「好吧！雖然我很怕失去妳，但，遲早還是要讓妳知道的。不過妳得答應我，絕不可以隨便把我的事告訴別人，包括妳的父母在內。」

「我不會對任何人說的，你放心好了。」

「我父親從日本大學畢業後，回台灣與我媽結了婚。那時父親在外交部做事，生下我和妹妹兩個小孩，日子一直過得很安定。不幸的是，十年前，父親中了風，半身不遂，一直臥病在床，當時沒有很好的社會福利救助，一個當家的人倒下後，非但不能賺錢，還要花醫藥費，那時，我才九歲，跟著媽媽還有妹妹，在樹林過著被房東追趕、不時搬家的日子。父親中風後，我從國中起就要揹著他到醫院去看病，我媽還到處幫人家帶小孩、洗衣服……掙錢來維持這個家。而我自小就學會用笨拙的一雙手，到菜市場撿拾別人丟棄的菜葉，拿回家煮著吃。紫君，妳不會因為我家貧窮而瞧不起我吧？」

「不，絕不，相反的，我很佩服你能在艱困中，還能用功讀書，每個學期都拿獎學金。」

「我不能不用功讀書，不拿獎學金，我就只能失學去做小工了，高一那一年，我爸爸去世了，媽媽因過度操勞，身體特別虛弱，心臟又不好，不能過份的工作，我只好半工半讀，早上去送報，讓我妹妹去賣獎券來維持家計。妳一定想不到，我家已連續八年被列為二級貧戶，一半靠教濟金來度日，今年暑假，為了多賺點錢，我已經跟一家鐵工廠說好，去做鐵工了。」

「啊！鐵工，一個大學生去做鐵工，你吃得消嗎？為什麼不去兼家教比較輕鬆呢？」

「家教的收入有限，去鐵工廠充當苦力，搬運鋼筋，收入要好多了。希望我說這些事，不會把妳給嚇壞了？」

「不瞞你說，我是有些驚訝。也為你奮力向上的精神感動不已，相信你總有出頭的一天，嘉源，不管怎麼樣，我都支持你。」

三

張嘉源為計劃競選，忙了一天，回到他的「窩」，電話立即響起。

「喂，那位？」

「嘉源，是我啦！告訴你一個好消息，我今天發動一些親友幫你拉票，有幾個大老闆，答應我要支持你，至少可以幫你拉到三千票。還有，你競選的經費我已經給你準備好了，你什麼時候來拿？」

「眞的，彩婷，謝謝妳。」

「你現在做什麼？要不要馬上就過來？」

「不，我很累，想休息了，明天上午我去找妳。」

「不，今晚陪我去看午夜場電影怎麼樣？」

「……好吧！」

「十二點半，我在大世紀戲院門口等你，不見不散哦！拜拜。」

卡嚓，電話掛斷了，嘉源看看廚房裡的紫君，確定她沒有察覺出彩婷約他的事，放心的坐在沙發上看晚報。

不多久，電話又響了，是黨主席打來的。

「嘉源，告訴你一個好消息，黨開會決定支持你出來競選立法委員。我們提供你三十個助選員，外加五名文宣，你自己也要卡打拚，好好表現喔！」

「謝謝主席栽培。」

「不要謝我，你是本黨難得的優秀人才，這些日子，你爲黨做了不少的事，又曾爲本黨坐過牢，我們推你出來是對你有信心，希望你能高票當選。」

「我會盡力打拼的。」

放下電話，紫君已做好飯菜。

「是誰打來的電話？」

「主席，他說黨開會決定支持我出來競選立法委員。」

「你估計一下，要多少票才有希望當選？」

「至少要五萬，若是能有六萬票，就穩上的了。」

「你們黨員有這麼多票嗎？嘉源，你得仔細考慮一下，我看是挺難的。據說台北市區有二十多人要出來競選，就只取六個，其中有些人，像支持趙長壽這類的鐵票，拉都拉不動，再說，你們黨裡的王再發也有意出來競選，你知不知道？」

「我聽說了，他想出來，不過這可能是謠言。王再發他綽號『大頭仔』，是個粗人，我們黨不一定會支持他的。」

「如果他眞的出馬競選，你的票至少會被他拉走一半，那不就很危險了嗎？嘉源，我看，你不一定會選上，還是退出算了。」

「什麼，你要我退出？」

「嘉源，你不是個適合搞政治的人，我希望你能遠離政治的是非圈，辭去你們黨的執行委員的頭銜，安安份份的，我教書，你去上班，這樣我們將來有了錢，買幢房子，再生兩個小孩，這不是很好嗎？」

「這種日子太平凡了，我們何必急著去做『庸夫俗婦』，現在的社會，有權就有錢，錢權是分不開的。等我選上了立委，大權在握的那天，買房子如桌上擰柑，到時候妳愛生幾個便生幾個小孩，嗯！」

「到時候，還得等多久？你現在都已經三十四歲了，我也一樣，再等，我就成了高齡產婦了！」

「別說那些了，吃飯吧！我決定的事絕不會改變的。」

紫君聽完了嘉源的話，心裡開始疑惑起來。

這個滿心權利慾望的男人，是我所認識的嘉源嗎？是那個純潔善良，曾經刻苦自勵，眞正懷抱理想的嘉源嗎？

四

紫君剛侍候嘉源的母親睡著，嘉源笑嘻嘻的進門，高聲喊著：

「紫君……。」

「噓，小聲點，你媽才剛睡著，我們到外頭講。」

「妳看，這是什麼？」

「啊，你考上×大政治研究所，第一名耶，太好了，我眞替你高興。」

「修業兩年，非但不用交錢，每個月還有六千元獎學金，我可以專心讀書，不必再打工了。」

「畢業後就是碩士了耶！」

「這都要感謝妳，如果不是妳幫我照顧我媽，處理家務，我一定考不上的。等我拿到碩士文憑，找到工作，我們就結婚，妳說好不好？」

「嗯，我會等你的，唸完政研所，你將更有能力去實現你的政治抱負。」

「是的，在這個歷史轉捩點上，我無法做一個睜眼的瞎子，看不公不義橫行。我要改革這個社會結構性的病態，爲弱勢階層爭取『人之所以爲人』不可或缺的尊嚴。」

「像你這麼努力追求公義，又充滿悲天憫人的心胸，日後必定是個大政治家。」

「紫君，妳眞是我的知音，世界上再也沒有人比妳更了解我了。」

五

暗夜裡，忠孝東路五段的天空，死黑一片，一幢獨門獨戶的高級住宅內，有一名年過不惑單身女貴族，在二樓房間裡。她開著窗，鎖著眉，沈在那張空曠的雙人床裡，對著窗外痴痴地望著，他爲什麼還不來？

門開了，嘉源熟練的拿著彩婷給他的鑰匙，開了門，進入彩婷的房間。

「怎麼現在才來，我以爲你又黃牛了呢？」

「我這不是來了嗎？」

「彩婷，競選眞不簡單，除了花錢，還得到處去拜託、探訪、磕頭、拉交情……眞是累人。」

「什麼都別講了，你先陪我躺下。」

彩婷迅速拉下窗簾，關了燈……。

自從政研所畢業後，張嘉源在某大報擔任記者，負責跑立法院的新聞，過了一年半的國會記者生涯，他認眞的工作著，驚人的耐力，使他贏得了「國會快筆」的美譽。速記、認人是他的本事，立法院新舊委員近兩百名，只要看後腦勺，他便認得出是誰。雖然他這樣卓越的表現，博得同業的肯定和稱許，但仍然無法令他感到快樂。因爲，他的新聞稿，雖然可以以一敵三；但是，他有感而發的特稿，卻極少見報。緣於他不會用曲筆，不喜歡婉轉的評論；更不願用歌功頌德的方式來隱惡揚善，於是他的稿件，經常被編輯丟入垃圾筒，甚至在召集人那關便被攔截下來，難見天日，逼得他只好投向政論雜誌。

「爲什麼要換工作？」

「紫君，妳不知道，我親眼目睹一些重大法案，在缺乏民意基礎的國會裡被強行通過，我不能忍受這一幕幕荒謬的政治分贓秀、鉅細靡遺的剝削人民利益，凌辱人民的尊嚴……。」

「嘉源，你的說法太偏激了，再說，這也不關你的事呀！」

「這怎麼不關我的事，這關係全台灣人民的事。總之，報紙不敢發表我的文章，我寫給政論雜誌去登，有什麼不好，因爲我敢說敢寫，他們歡迎我入黨，那位黨主席還特別看重我，說要重用我呢。」

「嘉源，你這麼做很危險，要適可而止，千萬別走火入魔呀！」

那裡聽得進紫君的忠告，他執意發表他的言論，不久，雜誌社被查封，他自己也被判刑入獄，而他那體弱多病的母親，也因此事而心臟受不起刺激，一病而亡。

六

正式登記競選立委的第二天，黨的競選總部派專人給嘉源送來一封信，他打開一看，寫來的信中說：

「經過黨內部的調查，你的群衆基礎薄弱，財力有限，若代表黨出馬競選，最多也拉不到一萬票，所以主席經過愼重考慮，決定要支持我，比較有把握當選，因此，爲了黨的勝利，希望你能配合主席的指示，自動退出，把拉到的票轉讓給我，否則，落選後果你自己負責，王再發上。」

這眞是晴天霹靂，怎麼會有這樣的變化呢？正錯愕間，電話鈴聲響起，他拿起聽筒。

「張嘉源，你收到我的信了嗎？」

「收到了，王再發，我不相信黨主席要我退出競選，把票讓給你。」

「你不相信可以自己去問他，是他親自提名，由我來代替你出馬競選，因爲我的票源比你多，關係也比你活。你只會寫文章，比地方勢力、財力，你根本差我一大截呢，還是趁早知難而退吧，我選上後，不會忘了給你好處的，你給我幾票，該給你多少錢，我可以照算給你。」

「爲了實現我的理想，我絕不中途退出。我是政治研究所碩士，下筆能文，出口能辯，靜能沙盤推演，動能街頭指揮，我爲黨也立了不少汗馬功勞，那一點不如你？你只是一個老粗，憑什麼跟我比？」

「××娘咧，好心勸你你不聽，愛選就讓你去選個夠本，我等著看你敗得眞歹看！」

「大頭仔，你這話未免說得太早了吧。」

「你這隻『七月半的鴨仔』還不知死活，我講明白給你聽，我們黨內有很多人實力很強的，占去了不少名額，而我掌握這一區鄰里長的票源和角頭兄弟的勢力，再加上我們黨的支持，穩可以當選的。而你就不保險了，再說選舉是要花錢的，你有多少錢可以花？哈哈哈……根本拚不過我，簡直是自不量力，所以，你還是現在退選最好，省得我們自己黨內弟兄內拚。」

嘉源氣憤的掛掉電話；立即打電話給主席，求證大頭仔發說的話，孰知，果眞如他說的一模一樣。

「黨怎麼可以這麼現實，說變就變，太欺負人了，眞叫我失望。」

嘉源像有一種被玩弄的羞辱感。他憤怒的在心裡吶喊著：「我不甘心，我要競選到底；看你大頭仔的票多，還是我的票多，哼，你要我死，我也要你陪著做鬼。」

七

回憶起在獄中那段日子，張嘉源與社會黑暗底層，朝夕相處，那些戴腳鐐的殺人犯、煙毒犯、搶劫犯，每天和他混在一起。

在漆黑的深淵裡，彼此照料、相濡以沫。如今，爲了與大頭仔對抗，他決定去找他們來爲他出力。誰知，那些人懾於大頭仔的出馬，都已不再理他，他所寄望的基本群衆，已遠離他而去。

爲了競選，支持他經費來源的彩婷，最近因在股票市場的連連失利，情緒欠佳，聽說他的黨已不再支持他競選，也改變了態度。

「競選是個無底洞，要是你沒有把握，穩可以當選，我也不想再作無底洞的投資。」彩婷的語氣全轉變了。

「彩婷，妳不再愛我了嗎？」

「愛情並不一定非要出錢才買得到呀！再說，爲了支助你競選，我已投資了近千萬，我也對得起你了，不是嗎？……你又沒說過你要作我的丈夫。」

「彩婷，……我當選後，會和妳結婚的，彩婷，妳要相信我！」

「別說這些空話了，你有女人，同居在一起，你以爲我不知道嗎？再說，再給你一千萬，我看你也不一定會當選！」

八

張嘉源懊惱沮喪地失去彩婷的金錢支助，徘徊在十字街頭，不知如何是好。

一輛大頭仔的競選專車開了過來，王再發披著紅條在車上，用麥克風嘶啞的叫著：「各位父老兄弟姊妹，希望大家支持小弟，惠賜一票，拜託、拜託……」

張嘉源茫然的沈思默想著：「我該繼續競選下去嗎？」

突然，紫君的話又在他的耳畔響起：「嘉源，你不是個適合搞政治的人，我希望你能遠離政治的是非圈，辭去你們黨的執行委員的頭銜，安安份份的，我教書，你去上班，這樣我們將來有了錢，買幢房子，再生兩個小孩，這不是很好嗎？」

（七十九年八月二十六日—二十八日立報）

他還記得木麻黃？

仲秋，隨中國舞台劇協會組成的「台北戲劇藝術訪問團」欣遊北京。一下飛機，在往住宿飯店的公路兩旁，看到一排接一排的蘋果樹、楊樹、水蜜桃……襯著將去還留的斜陽金光，呈現出一流畫家也無法全然描繪的景觀。

同行的B先生，是感情豐富的劇作家，美景當前，怎能不讚嘆稱奇？在「驚艷」北京的楊樹之餘，文人特有的善感本質，使得B先生懷想起他最鍾愛的樹類—柳樹—來。一談到柳樹，B先生在經過一天的航程疲困，卻仍顯得神定氣足。

只聽他連引了好多唐詩裡的句子，來說明他的「愛柳心情」。如「羌笛何須怨楊柳，春風不度玉門關」、「渭城朝雨浥輕塵，客舍青青柳色新」、「風吹柳花滿店香」、「嶺猿同旦暮，江柳共風煙」……這些詩句從B先生的蘇州腔口音唸出來，另有一番情趣。然而，這一車子裡，雖都是戲劇藝術的工作者，竟大都對詩沒有眞正的喜好，紛紛被其他話題吸引。B先生知道我喜歡詩，就轉頭問我—

「玉雪，你是不是同我一樣，因爲古詩人對柳樹的吟詠，而特別喜歡柳樹？」

由於我和他是熟朋友，便對他實言以告。

「說眞的，我並不怎麼喜歡柳樹。」

「哦？……那你八成沒去過西湖，沒見過『蘇堤春曉』的垂柳，有機會我帶你去，你一定會愛上她的……」。

事實上，我去過西湖，因不想跟B先生爭辯什麼，只好把不喜歡柳樹的想法，藏在心裡——西湖的蘇堤垂柳，的確很優雅，但那是湖水的靈秀所致，非柳樹之「個人魅力」啊！倘若把地點時間重新組合，立即呈現柳樹的眞面目來。

試想，在從台北到宜蘭的路上，太陽下山已久，月亮遲遲不來。要是你此刻開車經過那名叫「九拐十八彎」的地方，車燈突然不亮，四周黑暗無光。你慌忙摸尋車內備用的手電筒，好檢查車燈。此時，一陣陰風倏地吹來，月娘緩緩昇起，在雲中，連她自己都照不清楚。你想起關於這地方的許多傳說，抬頭向車窗外望，遠方一個披頭散髮的女孩，正向你招手，她哭著，沒有五官的臉，不知淚從何處流？你只覺得她垂頭喪氣，哭聲慘慘，想必受了極大的冤屈。你的正義感使你打開車門，拿起尋著的手電筒，向她走去。你把她想像成等待救援的孤女，擔心她獨自站在昏暗的路邊，心裡恐懼。打開手電筒，給她一些些光亮吧！就著微弱的光，你仔細看清楚，原來她是一顆柳樹呢！

B先生見我不開口，暫時放棄對柳樹的推崇，反問——

「那麼你最喜歡什麼樹？」

「木麻黃。」

我回答之迅速，連自己都驚異。心裡一直惦記著木麻黃，若不經人問起，又怎能自知那份惦記？隻身在台南求學的日子，是我生命中最值得謳歌的時日。因爲有Y君。

有一天，我在車站等車回學校，他也在車站等車，我裝作沒看見他，他也裝作沒看見我。我和他都搭新營客運到新營火車站。一下客運，我直接到火車站，才知道連站票都賣完了。失望之餘走到聯營公路車站，也是人滿爲患，直達車車票都沒有了，不知道該怎麼辦？冷不防，一聲低沈的叫喊，自背後傳來——

「阿雪，給你。」（他像小時候一樣叫我阿雪。）

轉身一看，Y君拿著一張到台南的直達車車票示意我收下。「班長，這……」他是我國小同班同學，六年來都當班長，所以我習慣性的叫他班長。

「我料定了你會來，所以先幫你買一張票，免得你坐普通車，每站停，浪費時間。」

「啊！眞是謝謝你，萬一我沒來，你多買一張票不是浪費了？」

「不會的，連放三天假，要買票的人多的是，還怕賣不出去？」他很有自信的說。

「只是，你怎麼知道我會來這兒？」

「我聽說你在台南唸光華女中，才讀一年級……」

「是啊，我也聽說你讀南一中，已經三年級了吧！……」

我們搭同一班車到台南，正如他所說的，話匣子一開便聊得沒完沒了。一路上聊的，雖都是些童年往事，卻多了一層老朋友新認識的知遇之喜。

他驚訝我對人生特有的看法，並要求與我交換地址、電話以便常常連絡。沒事的時候，Y君就約村子裡另一位國小同班，也是讀南一中的男同學，我們仍叫他小時候的綽號「斑鳩」。三個人一起騎腳踏車，到附近的古蹟，像孔子廟、赤崁樓、延平郡王祠……這種不用花錢的地方去玩。累了便找一處乾淨的地方坐下來休息，喝自己帶去的白開水；餓了就一起到經濟實惠的自助餐店，吃最省錢的飯。我們誰也不認爲，這樣的交往是在談戀愛。

後來我因工作關係，經常搬家與他們失去連繫，直到有一天放假，回村子裡，沒事帶著姊姊的小孩，到緊臨我家的溪洲國小去玩，一群男生在操場玩籃球。我一眼就看到Y君也在裡面，人太多，我不敢去跟他打招呼，便帶著侄子在木麻黃樹邊玩。黃昏的風吹來，沙沙沙，沙沙沙……木麻黃哼著我童年就已熟悉的曲調，操場上男生的跑跳喊叫，也不甘示弱的此起彼落。

不一會兒，籃球朝我這邊飛來，我趕緊閃躲，跟著球來的是Y君，他假裝在撿球的樣子，小聲傳話給我——

「阿雪，晚上吃完飯，我在木麻黃這兒等你。」

沒有等我回答，他撿了球跑回操場。

那天吃完晚飯，心情竟煩亂起來。到底要不要去木麻黃那兒會Y君？晚上，那兒漆黑黑的，眞可怕。可是Y君一定有話要同我說，到底他想說些什麼？……萬一被人看見，笑話我們是在談戀愛，我可不要。……心裡想去，又不想去。最後，我怕Y君等太久，被蚊子咬了，萬一得病，豈非我的罪過。況且，平素他很老實，不像斑鳩愛吃女生豆腐，應該很安全，便決定要去會他。走到半路，又覺得不對勁，想起母親常告誡我們姊妹，女孩子家自己要懂規矩，在外面不能跟人亂來，讓人看輕。爲了謹慎，我折回了。

俗話說：害人之心不可有，防人之心不可無。打定主意，便叫鄰居的小男孩來，要他代我去傳話，請Y君回去，別等了，免得被蚊子咬。

鄰居小男孩回來時，交給我一疊照片，是我們和班鳩一起去玩時拍的，其中有一張是Y君自己的個人彩色照片。看著他的照片，我耳裡竟響起他對我說過的話——

「阿雪，我希望以後能像我房東一樣，買一棟洋房，自己有一輛私家車，假日裡帶太太和小孩到郊外烤肉。眞好！他們現在只有一個小孩，我希望兩個才恰好，你呢？你覺得要幾個？……阿雪！」

十年前的我，心高氣傲，只覺得Y君的志向太平凡，往後難有大成就，便疏遠他。如今體會出平凡最是幸福，才知道當時放棄Y君，是多麼愚蠢的一件事！

五年前我嫁人了。木麻黃也在那時整排被砍掉，我再也看不到一棵我想看的木麻黃了！每次我路經那一排木麻黃站過的位置，總要重複的對自己說，忘了吧！再想又有什麼用？失去的木麻黃永不回呀！明知道一切終將煙飛霧散，卻總會想——

如果木麻黃還在，他還記得木麻黃？

爲期一週的北京之旅結束，B先生將脫隊往他的故鄉蘇州探親，行前來向我辭別。我們又談起木麻黃，他問——

「玉雪，我活到現在，只聽過有人喜歡松樹、梅樹、菩提樹……還沒聽說過有人喜歡木麻黃的，把理由說給我聽聽吧！」

「理由很簡單，小時候我讀的國小，種了一排木麻黃，我常和玩伴在樹下玩耍。我喜歡他伸張枝幹，向上直長的樣子，看起來就像心地光明的正人君子。那麼莊嚴不可侵犯。」我避重就輕地說。

「眞的這麼簡單？」

B先生不愧是劇作家，料定這其中必還有「內情」，我不是不願讓B先生知道那一段過去，只是怕想起，怕引發更多更多，不該偷偷藏拾的回憶。於是乎，我話一轉，指向B先生，問道——

「不知道您喜歡柳樹的心情，有多複雜？」

B先生長嘆一聲，唸了一句李義山的詩句——

「深知身在情常在……唉！」我這不經心的一問，怕是問中B先生的「要害」了。否則他怎麼會唸出這麼傷感的詩句來？我不忍他勾起不堪回憶的痛苦，忙說：

「若是傷心事，就別說了。」

「讓我說，我很想說，我早就希望有適合的人來聽我說，說出我這段甜美的傷心事……」聽B先生娓娓不倦地，說出他的「愛柳情結」，說他如何與初戀情人，在柳樹下私定終身，如何約她到柳樹下，送她自己在化學課，親手做的雪花膏。如何……如何……

如果人生眞如某些人所說的，是一場戲，那，我們還在乎什麼？戲演過後，人們可能很快很快就把它忘記；而人生經歷過的悲喜，要很快把它忘記，可能嗎？該當是經歷過大悲大喜的人，才能深刻地編出精彩好戲。B先生向我傾吐的那件「甜美的傷心事」令我不忍聽聞。我寧願相信這件事是他編的，尤其希望在整個事件中，甜美的部份是眞實的，傷心的部份是編造虛構的。然而，只要清醒的人都知道，事實恰恰相反啊！唯一能替B先生高興的是——柳樹還在——只要他願意，隨時可以回故鄉，盡情看望，寄語抒懷。在與B先生分手後，我隨隊再經過北京那條果樹排排種的路時，禁不住又要想——B君沒有忘記柳樹！

如果，木麻黃還在，他還記得……？

「他一定還記得……記得木麻黃？」

（七十九年十二月八日臺灣立報）

做一個夢忘掉她

我是個成熟的單身貴族，小劉常常取笑我，說我是全台北市最蠢的男人，二十世紀最後的處男……這些嘲笑我一點也不在乎，因為他是我的結拜兄弟。

那天，小劉提著行李到學校報到，我帶他到單身宿舍，我隔壁房間，把行李放好。他小我三歲，是教物理的；我跟他談了一下子話，竟喜歡上他！兩人太投緣了，當下燒香磕頭。往後他喊我大哥，我叫他小劉，沒事兒我們便湊在一起閒扯瞎聊。我除了教國中生數學，就喜歡音樂，尤其是巴哈的音樂，小劉也喜歡音樂，可是他最喜歡蕭邦的曲子。

同事三年來，小劉除了和女朋友約會的時間之外，其餘的閒暇，幾乎都和我一起渡過。我們喜歡談數學、物理、音樂……還有女人。

對於女人，我從沒有過實際的接觸，小劉可不一樣。他經驗豐富，女朋友一個接一個換，一會兒張小姐，一會兒王小姐。有時張小姐、王小姐同時打電話來，我這個做大哥的，自然要幫他應付應付，最好的說詞是說：「他出去了。」或「他不在。」對方還要繼續追問，去哪裡了？幹什麼去？什麼時候回來？……這些女人還不是普通的嚕嗦，唉，我是不習慣被女人「煩」的人，但是，誰叫我是小劉的把兄弟呢！

小劉是那種處處留情的人，他和女人談戀愛，卻從來沒有想到要娶她們。事實上，是她們也沒有打算嫁給他。他們只是在玩一種成年人需要的遊戲。這裡是台北，一個開放的都會，他們過這種生活是很自然的。而我呢？一個在農村長大的孩子，想法免不了比較保守。不！應該說是原則問題。

很多人都認為，男人沒有貞操觀念，這是錯的。別的男人怎麼樣我不知道，但是至少還有我堅決保護著貞操。我總以為，這樣才對得起將來要成為我新娘的人，那位我鍾愛的女子。

我已經三十六歲了，還沒有遇到一個不嚕嘛的女子。直到那天，小劉帶她來學校，我一眼便看出，她一定是我所要的那種靜靜的，不嚕嘛的女子。

小劉叫她喊我大哥，她就溫馴的跟著喊，聲音輕得像怕嚇著螞蟻似的。我聽了這聲音，竟有些兒意亂情迷，開始幻想，假如她是我的新娘，那該有多好！我真高興，終於找到了我喜歡的女子，一定要想辦法娶到她，把我全部的愛她……於是我問——

「小劉，她是你妹妹嗎？」

「不，她是我的未婚妻，我們下個月就要結婚了。」

「哦？那真恭喜你！」

在說完恭禧的話之後，我的心情像打了敗仗一樣沮喪。怎麼會這樣呢？上帝怎麼可以這樣對我，我保護我的貞操要獻給我愛的女子，而她卻是我把兄弟的未婚妻。這太不公平了，還沒有上戰場，就判我出局，是何道理？先別管這些，回頭找個機會問小劉，是怎麼認識她的。

小劉送她回家後，我趕緊逮著機會問他。

「小劉，你到底是怎麼認識她的？」

「是我媽幫我相親，媒人介紹的。」

「什麼？你這麼浪漫的人，也搞這套啊？那王小姐、張小姐，還有前幾天才認識那個李小姐，怎麼辦？」

「這個你不要擔心，那些小姐，沒有一個是正經的。和她們玩玩可以，要結婚就要找像愛華這樣，端莊賢惠，有內在美的好女孩。這全都是我媽說的。」

「你媽說的？」

「對啊！我媽那個人啊，我跟你講過幾百次了，她除了嘮叨、嚕嗦，就是古板，思想守舊……反正我也說不過她，只好由她安排。娶愛華囉！」

「你愛愛華嗎？」

「怎麼不愛，只要是女人，我都愛。男女之間，還不就是那麼回事。」

「哦！」

「大哥，不要把結婚看得太嚴肅，對我來說，結婚只不過多一個女人，『名正言順』地在我身邊嘮叨而已。」

「你的意思是，你還要繼續過你風花雪月的生活？」
「那當然，怎麼可以爲了一顆樹，放棄一片森林，只要不讓愛華知道，你說對不對？」
「不對，我看得出愛華是很好的女孩，你應該珍惜她對她專一才是。」
「大哥，我常說，你是全台北市最蠢的男人，一點也沒有冤枉你，眞是的，怎麼你的腦筋就是轉不過來？」

……………………

有時，我眞不了解自己，爲什麼會喜歡像小劉這種，用情不專，感情浮濫的人。從小劉口中，我陸續得知，愛華的種種。她原在南部（台南）鄉下一所小學教音樂課程，生活單純，從沒有交過男朋友。被小劉的媽媽看中，準備安排她和小劉結婚後，在小劉他媽開的樂器行，幫忙照顧生意。

這麼好的女孩，嫁給小劉，太可惜了。

他們結婚當天，我看著她穿白紗，她對我禮貌地微笑，我又開始意亂情迷地幻想，假設今天新郎是我，那我就是世界上最幸福的男人了。

可是，過了今天，她就是小劉的妻子。

朋友之妻不可欺，何況是把兄弟之妻？我爲自己對她的非份之想而自責。明知道應該停止想她，雖然我一向是個很理性的人，如今卻做不到。哦！該如何是好？

等待良久的愛情，這樣地突如奇來。思念的情緒，在內心翻攪，我三天三夜無法安眠。睁眼閉眼，都看到她那張微笑的臉。摀著耳朵仍舊聽到，她那輕得像怕嚇著螞蟻似的聲音。

見到她之前，我從不知道，愛來的時候，會是這般地令人無法招架。

看她，去看她，找藉口去看她吧！看她在做些什麼？看她快不快樂，看她幸不幸福，看她……如果不去看她，我幾乎什麼事都不能做了。

沒有辦法叫自己不去看她，我就去了。她以爲我是去找小劉。唉，小劉這個傢伙，眞不知是那一輩子修來的福氣，娶到她。我就沒那個福氣，如果能夠看看她，和她說說話，也是一種滿足。我問她：

「愛華，生活還習慣嗎？小劉去那裡了，怎麼沒有在家陪妳？」

「他說有事，晚一點才回家，我還以爲他跟你在一起呢！……反正這店，我婆婆已經交到我手上，我除了看店，沒事就練練鋼琴，也蠻好的。」

在她說，「也蠻好的」時，我竟感覺，她是在自我安慰。因爲她說話的語調很平，沒有一點愉悅的神情。是我多心？還是她確實在心中隱含什麼不容向人訴說的感傷？

「愛華，妳喜歡彈些什麼曲子？」

「彈一些小品，還有藝術歌曲。我喜歡聲樂，可是沒有那個環境，讓我繼續深造，……唉！」

她嘆氣了，我深愛的女子嘆氣了。她怎麼可以嘆氣，她爲什麼要嘆氣？我不能忍受聽她嘆氣的聲音。這小劉也太荒唐了，竟然沒有用心地照顧她，我一定要好好說他，找一個機會，好好地跟他談談。有這麼溫柔難得的好妻子，還不知好好珍惜，這還算是個人嗎？

沒想到小劉卻先向我訴苦了。他說：

「大哥，你不知道，我才是冤哪！我媽花了兩百萬聘金，讓我娶她進門，原以爲她是個處女，結果，根本不是，你說冤不冤？」

「你不是不在乎這個嗎？況且，你自己也不是處男，憑什麼要求人家？」

「那不能混爲一談，我是男人，她是女人呀！……這個先不去管她，你知道嗎？她整天愁眉苦臉的，好像全世界的人都虧欠她似的。……有一次我還發現她偷偷地，對著一張男人的照片在流眼淚呢！」

「她既然有男朋友，何必嫁給你？」

「還不是她爸爸愛賭錢，玩六合彩，欠人家錢，沒辦法，等於把女兒賣到我家，拿錢去還債，我媽喜歡她，說她很『乖』，我可是不喜歡一個老是愁眉苦臉的老婆。」

「你既然娶了她，就該盡丈夫的義務，讓她開心啊。」

「我一看見她，就不開心，還管她開不開心。就當她是我們家僱來的店員，兼佣人好了，大哥，我們聊點別的有趣的，不要談她了。……我跟你說啊，那個李小姐，眞夠勁，要找女人，就要找這種騷勁兒十足的，還有……，」

雖然，小劉告訴我，她嫁給他時，已非處女，我有點兒失望。但是，我仍沒有辦法不想她，依舊時常找藉口去看她。她在我夢裡，眞美，她那頭不長不短的頭髮，剪得很整齊，耳朵在髮間時隱時現。有時我走過樂器行門口，她坐在鋼琴前的身影，襯著琴音，儼然一尊女神的塑像。我注視她，她若察覺我在門外，總會回過頭來，對我點頭微笑，招呼我進裡面坐坐。她若沒有察覺我的存在，我便滿足了看她的心願之後離開，帶著她的琴聲回宿舍。

小劉說她常常悶悶不樂，很少笑。可是，每次她看到我，都對我笑，而且笑得那麼甜美。哦！我多麼想擁她入懷，向她訴說我對她的愛，把我的貞操獻給她。眞不知道那個幸運的男人是誰，讓她看著他的照片哭泣。假使是我的話，那麼我這輩子就沒有白活了。

今天，我來到她店門口，她又在彈唱，那首鍾梅音作詞，黃友棣作曲的藝術歌曲——遺忘。我到這店來，十次有八次，聽她正在彈唱這首曲子。歌聲琴韻，有說不出的感傷與哀嘆。

伴著琴聲她輕唱著——

「若我不能遺忘，這纖小軀體，又怎載得起如許沉重憂傷？人說愛情故事，值得終身想念；但是我呀，只想把它遺忘。隔岸的野火在燒，冷風裡樹枝在搖；我終夜躑躅堤上，只爲追尋遺忘。但是你呀，卻似天上的星光，終夜繞著我徜徉。終夜繞著我，終夜繞著我，終夜繞著我徜徉。隔岸的野火已滅，夜風裡蟲聲四起；露濕苔痕，星月將沉。誰能將浮雲化作雙翼，載我向遺忘的宮殿飛去。有時我恨這顆心是活，是會跳躍，是會痛苦；但我又怕遺忘的宮殿喲，就連痛苦亦付闕如。迎接這痛苦吧！迎接這痛苦吧！生命如像一瓢清水，我寧飲下這盞苦杯。啊！但是，若我不能遺忘，這纖小軀體，又怎載得起如許沉重憂傷？人說愛情故事值得終身想念；我還是呀，只想把它遺忘。遺忘！遺忘！遺忘！……………，」

遺忘？她到底要遺忘誰呢？為什麼要遺忘？是想遺忘她深愛過的男人嗎？這男人哪裡去了？會不會已經不在人世了？……遺忘？如果這男人已經死了，是怎麼死的？像她這樣的女子，小劉竟然娶了她，又說不喜歡她。

而我呢？是不是也該把她遺忘？

晚上，我失神的走回宿舍，躺在床上胡思亂想。我原是個極理性的人啊！竟為有夫之婦而魂不守舍。即使非常喜歡愛華，又能為她做什麼呢？告訴她，我愛她嗎？不行，那只會增加她的痛苦與負擔，更對不起與我無話不說的小劉。

愛來的時候，不能率性表達，難道就將愛隱藏在內心，忍受這痛苦嗎？我扭開音響，放巴哈的音樂，思考這個問題良久。不自覺地，在巴哈的音樂聲中，我睏極入睡，睡得一夢。

夢中，她坐在鋼琴前，身影儼然如一尊女神塑像。襯著琴聲，她輕唱著—遺忘、遺忘、遺忘——我在門外注視她，她回頭對我微笑。微笑的臉好美。我的頭痛，眼昏，漸漸看不清她的臉。她臉上浮現出×形狀的叉叉，一個、二個、三個，……無數個。終究，她的臉被叉叉劃滿，不復辨識，幾成空白。

雖然夢醒，我想，我是不是早就該如此，做一個夢，忘掉她。

（七十九年十一月十三—十四日立報）

雙眼皮

雙眼皮或單眼皮在她說來並不重要。她總認為一個人，即使是女人，都不該把時間浪費在那片薄薄的眼皮上，而放著正事不管。

無奈，她媽媽並不以為然。認定她的缺點是單眼皮，沒有女人味，把她畢業至今五年尚無求婚者上門，亦歸罪於單眼皮。為此常勸她去割雙眼皮，增加女性魅力，寄望她尋得好夫婿。她受不住母親的嘮叨，不願與母親為著無聊的眼皮問題，老是脣槍舌劍個沒完，就找了藉口，搬到她上班的圖書館附近賃屋而居。

本以為搬離父母，可以過過耳根清淨的日子。誰曉得，電話一裝好，便傳來母親尖銳的「女高音」，說：「美珠啊！要我跟你說多少遍，你才會開竅？割了雙眼皮保證有很多人來追求。不要再固執了，現在的社會是外在美和內在美都重要的時代。如果你不好好打扮，別人怎麼會注意你的存在？更不用說去耐著性子，慢慢地欣賞你的內在美了。我也是割了雙眼皮，才被你爸爸看上的。不要怕，那個醫生媽認識，技術好得很。如果你手術後，順利挑到一個好男人，媽也放心呀！……」

美珠被她母親煩得沒辦法，到圖書館上班時，向同事振國抱怨，都是男人自私，喜愛美色，害得女人的眼皮受罪。振國則辯稱，那是女人自討苦吃，一個女人可不可愛，根本不關眼皮的事。美珠從不把振國看成是個男人，她討厭他節儉，而近乎小器的個性，所以對於振國與自己持相同論點，並不感寬慰。其他女同事都站在母親那一「邊」，贊同她去割雙眼皮，使她覺得有點兒洩氣。

女同事們有很多人，也都割過雙眼皮，她卻覺得，爲了無關緊要的眼皮，去花錢動手術實在荒唐，叫人不能理解。她想，如果一個男人因爲她是單眼皮而不喜歡她，或者因爲她是雙眼皮而喜歡她。那麼，這個男人必定是只重外貌，缺乏內涵的輕薄之徒。這種男人有什麼値得在乎的呢？但她仍不得不承認，同事們割了雙眼皮，的確比沒割之前漂亮。但女性的尊嚴不允許她爲了取悅男人，而去做「花錢受罪」的愚行。

她常引用美容專家蔡燕萍女士的一句名言「自然就是美」，評論那些割雙眼皮的女性無知。說那些人鐵定是缺乏自信，擔心本身的自然眼皮不夠美，所以才希望手術後，多少增加一些些「人工美」，這樣的美，她不屑。

在她保守的觀念中，甚至堅信中國人天生就是單眼皮。若是非要弄成雙眼皮，就是喪失民族自尊心，脫不了崇洋媚外之嫌。她這些「偉大的」見解，被女同事們傳爲笑談，只有振國是支持她的。

一天，有個年輕業餘畫家到她辦公室，找她商洽租借場地開畫展的事。翻開他送的作品縮小樣本，才知道他叫黃成。黃成用孩童般天眞的圓臉，向她微笑，她被這微笑攫走了神魂，不能自制地想多看他幾眼。原本圖書館方面要求想借場地的人要有單位首長推薦信函，或學校團體組織等公文，這些黃成都不知道，也不知該上哪兒去找。美珠除了給予他許多通融，還幫他介紹可以出公文的組織。下班後，她回到單身宿舍，翻開那本黃成送她名爲「現代仕女圖」的小畫冊。一頁一頁細細看，發現畫中女子無一不是雙眼皮。

是夜，她的心異常浮宕不安。在床上胡思亂想，她不知道，何以整個天花板和牆壁，都是黃成那孩童般天眞的笑臉？美珠是獨生女，一向高遨自矜，把年輕男人一概視爲輕薄又無見識。而今，這黃成正是她少女時代所幻想的理想情人的化身。他沈著、機智、有藝術氣息，且識見不凡……。

她愈想黃成，愈覺得生命有意義。於是把從前堅持的女性尊嚴，民族自尊心……那一套都拋諸腦後，拿起電話顧不得是半夜兩點，撥給她母親，要美容醫院的電話地址。害她母親以爲自己的耳朵聽錯，或是在夢中。對於母親的盤問，她並沒有據實以告，只暗自急著，希望在黃成開畫展之前，把雙眼皮割好，對這位幻想中的理想情人，施展自己的女性魅力。戴墨鏡上班二個月，手術後的疼痛，加上振國有意無意的逗鬧，她都忍了下來，終於盼到黃成開畫展的日子。她攬鏡自照，鏡中的「雙眼皮美珠」，實在比單眼皮時漂亮多了，女同事們也都恭賀她，唯獨振國表現得有些反常。反正這些對她都不是頂重要的。她整整衣衫，到展覽畫的會場，做公務性的巡察。黃成只微微地向她點點頭，算是打了招呼。她苦心爲他製造的雙眼皮，顯然起不了什麼作用。一時之間，美珠自覺是全世界最愚蠢的女人。

正在煩惱著，展覽室走進一位身材豐滿，看起來性感又不胖的女子。黃成一見這女子，迫不及待地去招呼她，兩人親密狀似情侶，美珠刻意留心看那女子，想不到還是個單眼皮的呢！美珠心裡不是滋味，無心再留在展覽室。索性迅速處理完公務，回辦公室算了。

坐在辦公桌前，找不到安慰自己的理由，美珠失神得像打仗戰敗的孔雀，空有一身彩羽，渾身提不起勁。心底下胡亂瞎猜，黃成和那女子的關係。也許，想得太入神了，振國在叫她，她都沒察覺。

「美珠，妳怎麼了？美珠！」

「什麼事？」美珠回過神來。

「明晚一塊兒晚餐，怎麼樣？」

「發票中獎啦？」她糗他一句。

「不是，我有話對妳說，明晚七點，瑞華西餐廳，在南京東路×段×號那家，你去不去？」

「有什麼話，你現在說不好？」

「還是去那裡說，比較好。」

「好吧！好吧！」

她煩燥地答應下來，心想振國一定有難事相求，八成不是什麼好事，否則，像他那樣的小氣鬼，才不會花錢請客呢！

到達瑞華，振國已經換上他最好的衣服，坐在預先訂好的位置等她。她想，這傢伙平素一毛不拔，在同事間是小器出了名的，於是狠狠地點了一道，她自覺一定會叫他心痛的板魚全餐。

菜一道一道上，無關緊要的話也聊了不少，美珠心上怪異，振國可不是輕易請客吃飯的人，她忍不住問：「今天你這麼愼重的請我吃這頓飯，該不會什麼事都沒有吧？我不喜歡拐彎抹角，有什麼事直說好了，辦得到的，我一定幫忙。」

振國笑笑舉起酒杯，敬她。美珠看他一臉沒事的悠閒表情，不耐煩地催促：「什麼事快說！我不相信你沒事你會請客吃飯，還挑這種昂貴的法式餐廳。」

振國被問得緊，嬉皮笑臉地說：「下禮拜的今天再接受我的邀請，好嗎？」

「什麼？」她拿起一小塊精緻蛋糕，慢慢往嘴裡送。

「我喜歡和妳一塊兒，在這個情調優雅的地方吃飯。」

「是因爲我割了雙眼皮，人變得漂亮的關係嗎？」

「別傻了，愛情不關雙眼皮的事，我注意妳很久了，欣賞妳坦白、直爽、講義氣的個性。……」

美珠聽到那句「愛情不關雙眼皮的事」時，口中的蛋糕本來要嚥下去的，卻卡住了。

（八十年二月五日立報）

汗水勝過淚滴

情感受傷的時候，她流淚；思念亡友的時候；她流淚；受委屈、感覺丈夫仍愛前妻的時候，她流淚，整夜，整夜………。

哭，是自虐。

哭過後，情感的確獲得紓解。然而，長久以來，那種軟弱的樣態，使美珠覺悟——「怨婦」式的日子，只會讓自己看起來更沒出息。爲著她三歲的孩子，她決定振作精神，與她的命運對抗。並擺脫一切使她不快樂的怨恨，堅強起來，過著全然獨立自主的新生活。

迫於工作上之需要，即使內心千萬個不願，她仍舊住在丈夫的家。但，她告訴自己，忍著吧！婚姻沒有指望，事業萬不可再失敗了。她勤儉過活，好存錢買房子，企盼有眞正屬於自己的家。

有自己的家，眞好。

一想到要擁有自己的家，不必再忍辱住在丈夫家裡，夾在他的前妻、及前妻的兒女之中；覺得自己是個法律上名正言順，實際上身分卻非常不協調的「尷尬人物」。甚至被誤會成貪圖享樂，而嫁給老頭子的下流「姨太太」。汗，流吧！流吧！她拭著汗水，堅定的對上帝說：祢再也別想戲弄我，看我的笑話了。我拒絕扮演那個容許丈夫前妻「回來」共事一夫的「聖人」——那個我曾極力想好好演的荒謬丑角。

有一位不知名的哲學家說：「人慣於依賴，依賴神不行了，便依賴眞理，再又依賴不下去，才可能覺醒——人類的第一次覺醒，以前的都是夢中的覺醒。」

美珠透視過去所有夢中的覺醒，爲洗刷「少妻」「姨太太」時代的恥辱，克制一切肉體及物質享樂，誓死非要在事業上追求卓越。每天除了睡眠時間，她將全部心力投注在工作上。她的成就讓同行驚訝，視她爲「黑馬」，但她並不以此爲滿足，還不時的督促自己：「你的努力還不夠，惟有更努力，才能風風光光走出丈夫的家，經營屬於你自己的家。成全他們『老夫老妻』，還給他們原來的組合，將自己從這個錯誤的、畸型組合中漂亮抽離。從此不必再當親朋好友、甚至街坊鄰居們眼中的大傻瓜、可憐蟲。」

以汗水取代淚水，用奮發代替哀怨。美珠用雙手勞動，一心專注在未來的發展，描繪她心中那幅嶄新的藍圖。

「一朝被蛇咬，十年怕草繩。」

帶著孩子遷入新居那天，美珠終於體會出，何以人在極高興的時候，也會哭泣。哭泣中她忍不住笑了，她笑自己忽然意識到「男人是禍水」，必須從此「敬男人而遠之」才安全。

放一長串喜炮，啪啪啪……啪啪啪……這聲響比打她丈夫幾千萬下耳光，更令她心悅。美珠，聆聽這勝利的響聲，心裡大叫哈利路亞！阿彌陀佛！觀世音菩薩！阿拉眞主……感謝衆神明，我脫離「苦海」、「自救」成功了。

每當有男人追求她，向她示愛，她總是如見鬼般的「敬而遠之」。她並非認同「西蒙波娃」，也不是天生的女強人。她把所有精神放在工作及孩子身上，設下鋼鐵般的意志防守，嚴禁任何男人再闖入她的安全世界、破壞她內心的寧靜。在這種自得其樂的生活中，她再次印證，靠男人是很愚蠢的。流汗討生活雖然辛苦，卻很實在。或許，這並不是個最理想的生活方式，但她決定就這樣安度餘生。

有人說，她得了「懼男症」：也有人說，她不正常。

然而，她並不理會別人怎麼說，只是堅信自己從苦難中體會出的信念——流汗總比流淚好。

（八十年十月廿二日立報）

縱情慾　到自埋

金

給我千條金鍊吧
熊貓　我要
千條鎖住情慾的
金鍊
當他微笑統領我心
金　鐺鋃鋃鐺地
唱起
少妻的悲歌

木

給我千匹木馬吧
熊貓　我要

千匹蹤躍理智的
木馬
當他微笑統領我心
木　卡嗒嗒卡地
蹦跳開
怨婦的生路

水

給我千枚水雷吧
熊貓　我要
千枚封鎖驕傲的
水雷
當他微笑統領我心
水　混沛沛混地
一同奏鳴
詩人的凱歌

火

給我千張火網吧
熊貓　我要
千張殲滅記憶的
火網
當他微笑統領我心
火　噗哧噗哧地
燃合成
文學家的冠冕

土

給我千甲土地吧
熊貓　我要
千甲安葬罪惡的
土地

當他微笑統領我心
土　靜靜地
備好洞穴等著
悲劇主角的玉體

（七十九年三月三十一日立報）

情詩

親愛的詩人
你是　　我
生命中及時的一根針
喚醒　　我
超離死亡夢境
復活　　我
曾經死去的愛情

請勿再說—其實
妳不瞭解我的哀愁
是怎麼一回事—
不敢奢求　　我是

你的「妳」
只求
遠遠的……
遠遠的看著你
隱藏住情慾

不去害你
只求
單單的
單單的想著你
不去迷惑

親愛的詩人　我要
把情書扔進抽屜　一封
一封　一封……
一封也不　也

不寄給你

啊……

誰叫我已然是人妻

不配想你

不配想　唉

想你

（七十九年六月九日立報）

風箏的話

風
領我吧
向遠方
追尋
勿輕狂呀　你
看我
飛呀　為你
看我
飛呀
為理想
你
執

一

線
文壇的絲路
追尋什麼呢
到達遠方
領我吧
風

（七十九年六月十九日立報）

鏡中人

鏡中人　妳說過不流淚
鏡中人　妳說過不怨不悔

不怨何有淚
不悔怎傷悲
難道是妳子幼夫老　心憔悴
難道是妳失了情人　乏安慰

這淚滴不可寄託
滴不完　一江恨水

鏡中人　且拭去淚

莫心悲
別讓鏡中的上帝
審視妳帶愁的淚眼
別讓鏡外的我
跌入妳不容向人訴說的回憶

（七十九年九月十一日立報）

風之語

你是將落的葉
我是初起的風
你不久就要化作泥
而我只能依戀泥地
嗚呼　嗚呼……
　　悲鳴
你說
當下　就在當下
趁著我還在
聽我
最後的響聲

（八十一年三月二十六日立報）

後記

如果有人問我：你爲什麼寫？

我說：爲了關懷，爲了遺忘。或者更準確地說，是爲了原諒，包括原諒自己。眞的，如果沒有原諒，我們會覺得，生命即使活得再長久，也屬多餘。爲此，我願原諒，任何曾經辜負我的人；只因我也曾，在萬不得已時，辜負了人。

在此特別聲明，本書中不論是詩、小說、散文……內容所述之事件，不全然眞實，唯感情絲毫不假。

最後，特別感謝救國團李鍾桂主任、沈謙教授爲我寫序；邱則明先生、楊紀迪小姐聯合爲我設計封面。

柯玉雪 八十二年四月九日于明心樓

附錄

柯玉雪得獎記錄

㈠七十五年七月天下雜誌「樂在工作」徵文比賽，獲第三名。

㈡七十六年警備總部青溪文藝金環獎競賽廣播劇本銀環獎「家」

㈢七十七年警備總部青溪文藝金環獎競賽廣播劇本銅環獎「狐狸尾巴」

㈣七十八年二月十八日中央日報、台灣日報、台灣新生報、中華日報、青年日報、台灣新聞報、國語日報、新聞晚報八報聯合舉辦「遏止六合彩賭風」徵文，獲家庭主婦組優等獎

㈤七十八年五月十二日行政院文化建設委員委託國立臺灣師範大學辦理「第二屆文藝創作研習班」舉辦文學獎比賽獲現代戲劇組舞台劇第二名（第一名從缺）「火坑」

㈥七十九年十二月青溪文藝金環獎競賽獲劇本類佳作獎「我們都是中國人」

㈦八十一年十月卅日第二十八屆國軍文藝金像獎徵文比賽獲廣播劇本獎佳作獎「流動的活水」

㈧八十一年十二月七日青溪文藝金環獎競賽獲劇本類銅環獎「快樂的魚」